Anna van Praag

Nooit meer lief

LEOPOLD / AMSTERDAM

Eerste druk 2010

Omslagillustratie: Els Deckers
Omslagontwerp: Annemieke Groenhuijzen
Uitgeverij Leopold, Amsterdam / www.leopold.nl
ISBN 978 90 258 5725 7 / NUR 283

Uitgeverij Leopold drukt haar boeken op papier met het FSC keurmerk.
Zo helpen we waardevolle oerbossen te behouden.

Wie gaat Jacco vandaag pakken?

Jacco is de stoerste jongen die ik ken.

In de pauze neemt hij soms kinderen gevangen. Met zijn vrienden jaagt hij iemand op en neemt hem of haar mee achter de school. De juffen en meesters denken dat het gewoon tikkertje is.

'Wie gaat hij vandaag pakken?' vraag ik.

Annabel en Sandra hebben het springtouw laten zakken.

'Misschien... Marco?' zegt Annabel.

'Angeline?' Sandra kijkt bezorgd naar het liefste meisje van de klas.

Ik kan mijn ogen niet van Jacco afhouden. Hij heeft pikzwart haar dat altijd voor zijn ogen hangt. Zo ongeveer twintig keer per uur veegt hij het met een schattig gebaar opzij. En dan zie je de blauwste, vrolijkste ogen die je maar kunt bedenken.

'Ik denk...' begin ik. Maar dan komt Jacco recht op mij af en ik houd mijn adem in.

'Joni,' fluistert Annabel.

Jacco stuift langs me heen en het moment is voorbij. Bij het klimrek blijft hij even staan om een jongen met een bril aan zijn voeten omlaag te trekken. De vrienden van Jacco joelen.

'Kom, we gaan verder!' Sandra zwaait met het springtouw.

Ik staar naar Jacco. Stom dat ik dacht dat hij naar mij toe kwam. Alsof Jacco iets zou willen met mij, Joni. Ik bedoel: heb je mijn neus wel eens goed bekeken? Zweet prikt in mijn nek en ik knipper een paar keer met mijn ogen. Nee, ik ga hier dus niet om huilen!

Annabel geeft me een zetje. 'Ik heb een lied voor Jacco gemaakt,' zegt ze. 'Er hoort ook een dansje bij.'

Ze doet het voor.

'Jacco Jacco Jacco,' zingt Annabel, op de melodie van *Money*

money money van Abba. 'Gaat mij pakken. Wat is Jacco lief.' En bij dat laatste woord maakt ze een sprongetje met haar benen wijd en haar armen gekruist voor haar borst.

Sandra en ik hebben het snel geleerd en de rest van de pauze zijn we bezig om dat lied grappiger te maken, met steeds raardere coupletten.

'Jacco is een dief,' zing ik, 'dat staat in een brief.' Annabel en Sandra moeten zo hard lachen dat Sandra er bijna van gaat hyperventileren.

– Die armbanden hebben toch geen pootjes gekregen? –

's Middags is er een nieuw meisje op school.

'Jongens, dit is Ouave,' zegt meester Frans. 'Ik hoop dat jullie lief voor haar zijn. Ze komt uit een ver land en ze spreekt nog niet heel goed Nederlands. Hè, Ouave?'

Ouave lacht.

'Waar zou ze vandaan komen?' zegt Sandra, die in mijn groepje zit. 'Ze is wel knap, vind je niet?'

Ik kijk verbaasd opzij. Naar mij lachte Sandra nooit zo in het begin.

'Knap?' zeg ik. 'Dik zal je bedoelen.'

'Ze heeft lang haar,' zegt Sandra.

Wat is daar nou voor bijzonders aan, ik heb toch ook lang haar? Ik kijk weer naar Ouave die als een zonnetje staat te stralen. Vindt ze het niet eens een beetje eng om in een nieuwe klas te komen?

'En ze heeft mooie armbanden,' zegt Annabel hebberig.

'Heb ik ook,' zeg ik.

'Waar dan?' vraagt Annabel.

'Wie wil Ouave laten zien waar de werkjes staan?' vraagt meester Frans en natuurlijk steken Sandra en Annabel allebei hun vinger op.

Meester Frans kijkt de klas rond. 'Joni,' zegt hij.

Ik zucht. Zo langzaam als ik durf loop ik naar voren.

'Ouave, ga maar met Joni mee,' zegt meester Frans. En tegen mij zegt hij: 'Begin maar bij de ronde vormen.'

Ik zit op een school zonder cijfers en rapporten. Iedereen doet zijn eigen werkjes. Dat is niet erg, want je ziet toch wel dat ik één van de besten ben. Ik heb bijna alle werkjes al af en het is nog niet eens vakantie. Misschien ben ik wel nummer 1 van de klas. Dat zou ik wel willen, want ik heb bedacht dat ik met zoveel mogelijk dingen nummer 1 wil zijn. Niet alleen met school maar ook met heel andere dingen: de beste plannetjesmaker, de grootste durfal. En later ga ik een boek schrijven dat zo mooi is dat iedereen die het leest moet huilen.

'Hier zijn de ronde vormen,' zeg ik tegen Ouave. 'Daar kan je dingen mee bouwen.'

'Mooi,' zegt Ouave. Ze stinkt een beetje. Dat ruik ik altijd meteen.

Ik loop weg, maar ik zie dat Ouave nog steeds voor het kastje blijft staan. Dus draai ik weer om en rol een kleedje voor haar uit.

'Hier moet je op zitten.'

Ouave knikt en gaat zitten. Snel schud ik een doosje voor haar leeg. 'Bou-wen,' zeg ik. Spreekt ze echt helemaal geen Nederlands?

Ouave pakt de ronde vormen. Haar armbanden zijn inderdaad mooi. Ze zijn heel dun met een soort diamantjes erop. Zilver en goud zijn ze en één is glimmend roze.

Ouvae ziet dat ik kijk. 'Hier,' zegt ze. Ze wringt een armband van haar pols en geeft die aan mij.

Ik doe hem meteen om. Maar het is er eentje zonder diamantjes en het staat ook niet zo mooi: één zo'n dun armbandje. Dat rinkelt niet.

'Als je klaar bent, staan daar nog meer doosjes,' zeg ik tegen Ouave, die als een hondje naar me op blijft kijken. Ze denkt toch niet dat wij samen werkjes gaan zitten doen?

Ouave knikt ernstig en ik loop snel weg. Verderop zie ik Annabel en Sandra tekenen, daar heb ik veel meer zin in.

'Wat gaan we doen vanmiddag?' zeg ik als ik eindelijk naast hen neerplof.

'Naar het winkelcentrum?' stelt Annabel voor.

Sandra schudt haar hoofd. 'Ik kan niet. Ik heb huisarrest.'

Annabel en ik kijken haar medelijdend aan. Sandra heeft een superenge vader, om het minste of geringste krijgt ze huisarrest. Dan mag ze haar kamer alleen maar uit om te eten en te plassen.

'Wat had je deze keer gedaan?' vraagt Annabel.

'Grote mond gehad,' zegt Sandra.

Annabel en ik wisselen een snelle blik. Het is echt niet normaal, die vader.

'Heb je morgen ook nog huisarrest?' vraagt Annabel. Sandra schudt haar hoofd.

'Zullen we dan morgen naar het winkelcentrum?' zeg ik. 'Ik heb zin om iets te pikken.'

'Ik ook,' zegt Annabel.

Sandra knikt. 'Dan doe ik mijn nieuwe jas aan met die grote zakken.'

De rest van de tijd zitten we steeds te giechelen als we aan het pikken denken. Niemand praat meer over Ouave.

Later zie ik haar aan een tafeltje zitten schrijven. Ze heeft haar armbanden afgedaan. Ze liggen op het hoekje van de tafel te glinsteren.

Als ze naar de wc is, grijp ik mijn kans. Ze staan mij toch veel mooier dan Ouave.

Niemand kijkt. En dan zitten de armbanden al in mijn tas.

Ouave komt terug. Ze merkt niks.

Pas in de pauze mist ze haar armbanden. Ze maakt er een enorme toestand van en huilt dikke tranen. Meester Frans klapt in zijn handen en zegt: 'Jongens, wie heeft de armbanden van Ouave gezien?'

Het wordt heel stil.

‘Mijn moeder kwaad,’ snikt Ouave.

‘Dit kan toch niet,’ zegt meester Frans. ‘Haar eerste schooldag nota bene. Wat een indruk maken wij zo. Vooruit, iedereen zoeken. In zijn la. In zijn tas. In de prullenbakken. Die armbanden hebben toch geen pootjes gekregen.’

Ik kijk in mijn la en ook even in mijn tas. Ik zie niks.

‘Dit is heel vervelend,’ zegt meester Frans. Hij ziet er grappig uit als hij boos is. Zo’n klein mannetje met meisjeshaar en dan van die verfrommelde, dikke wenkbrauwen. ‘Ik kan me heus voorstellen dat iemand ze per ongeluk gepakt heeft,’ zegt hij. ‘Het is mij ook wel eens overkomen.’

O ja? denk ik. Ik heb meester Frans nog nooit met armbanden gezien. Wel met een ketting trouwens. En met een oorbel natuurlijk.

‘Maar leg ze dan even terug in Ouaves laatje als iedereen zo buiten speelt. Ik zal niet kijken,’ zegt meester Frans.

‘En als dat niet gebeurt?’ vraagt Jacco.

‘Dan ga ik zelf alle tassen en laatjes leeghalen,’ zegt meester Frans. ‘Dit laat ik niet gebeuren. Stil maar, Ouave, je armbanden komen terug.’

Zelf alle tassen leeghalen?! Het is goed dat meester Frans dat alvast vertelt, ik moet onmiddellijk een noodplan verzinnen. Die stomme armbanden, ik hoef ze al niet meer!

Gelukkig dat Jacco dat vroeg aan de meester. Ik kijk naar hem en dan lacht hij. Weet Jacco soms dat ik die armbanden heb? Wilde hij mij helpen?

Als de bel gaat voor het buitenspelen, heb ik de armbanden in mijn mouw verstopt. Ik zie dat Angeline haar vest over haar stoel heeft laten hangen. Er zitten zakken in. Het is supermakkelijk om de armbanden daarin te laten glijden, niemand die het ziet.

Ik moet wel een beetje lachen. Angeline is het liefste meisje van de klas. Je vergeet gewoon dat ze er is, zo stil is ze. Als je iets tegen haar zegt, krijgt ze zo’n verschrikt lachje. Ik weet niet precies waarom, maar daar krijg ik enorm de kriebels van.

Als we even later weer binnenkomen, hou ik Angeline goed in de gaten. Eerst heeft ze niks door. Maar als meester Frans het raam opendoet, grijpt ze snel naar haar vest. Heel overdreven, alsof het enorm koud wordt ineens.

Er rinkelt iets en Angeline steekt haar hand in haar zak.

Tingeling! Daar rollen de armbanden over de vloer.

'Wat is dat?' vraagt meester Frans.

Maar Ouave is al opgesprongen. 'Mij! Mij!' roept ze blij.

'Waar komen die nou vandaan? Toch niet uit de zak van Angeline?' vraagt meester Frans.

Angeline zegt niks. Doodstil als een beeld zit ze op haar stoel. Zelfs haar haar wappert niet in de wind.

Meester Frans loopt naar haar toe. 'Angeline?' zegt hij zacht.

De hele klas houdt zijn adem in. Iedereen is verbaasd dat juist die lieve Angeline zoiets gedaan heeft. Ik kijk opzij naar Annabel en zie dat ze op het puntje van haar stoel zit. Jacco is de enige die niet oplet. Hij vouwt een vliegtuigje, met zijn tong tussen zijn lippen geklemd.

Dan gebeurt er iets raars. Ouave rent naar voren en geeft Angeline een zoen. Waar slaat dat op?! Denkt ze dat Angeline haar armbanden heeft teruggevonden ofzo?

Ook meester Frans is in de war. Hij kijkt van Angeline naar Ouave en weer terug. Haalt zijn schouders op. Dan zegt hij: 'Nou, dat hebben we ook weer gehad.' En iedereen gaat weer aan het werk.

Alleen Angeline blijft nog heel lang doodstil zitten. Best knap om zo lang achter elkaar niet te bewegen.

Pas op voor de heks

Vroeger was ik anders. Veel liever. Als ik iemand een snoepje zag pikken, ging ik dat onmiddellijk aan de meester vertellen. Ik was toen ook al nummer 1 in de klas. Maar ik had geen vriendinnen, niet echt tenminste. Er kwam heus wel eens een kind bij me spelen, maar met gym werd ik nooit gekozen en ook lag er nooit een uitnodiging voor een partijtje op mijn tafel. Ik had met niemand ruzie, maar ik was... onzichtbaar, leek het wel.

In de pauzes keek ik naar Annabel en Sandra. Die waren al vriendinnen sinds de kleuterschool. Ze hadden vaak de slappe lach samen en soms ging ik een beetje achter ze staan, zodat ik stiekem mee kon lachen. Ik was toch onzichtbaar. Vooral Annabel vond ik leuk. Ze heeft prachtig lang haar en ze staat nooit stil, alles danst aan haar. Soms doet ze me aan een wild paard denken. In de klas keek ik naar de zon in Annabels haar en 's avonds in mijn bed verzon ik verhalen waarin we vriendinnen waren. Dat ging al jaren zo.

Maar op een dag gebeurde er iets waardoor alles veranderde. Er kwam een jongen naar me toe. Hij zat een klas hoger, maar ik kende hem wel want hij had een wit hondje dat altijd voor het hek van de school op hem wachtte. Helemaal in zijn eentje, zonder riem.

'Is dat nou niet lastig theedrinken?' vroeg die jongen.

'Wat?' vroeg ik.

'Nou, met die neus. Blijft je theekopje er nooit aan vastzitten als je drinkt?'

Ik staarde hem aan, terwijl om ons heen kinderen begonnen te lachen. Misschien stom, maar ik begreep het niet – echt niet! Ik was nog een gewoon lief meisje, zeg maar een soort Angeline.

Pas toen die jongen dat had gezegd, ben ik erop gaan letten.

Ik keek van opzij naar mezelf in de spiegel van de wc en in de ramen van de klas. En in de schaduw op het schoolplein. Er is altijd wel iets waarin je jezelf kunt zien.

'Mama, heb ik een rare neus?' vroeg ik toen ik thuiskwam.

Heel even dacht ik dat mama schrok en daar schrok ik weer van. Zie je wel, ik had een totaal mislukte neus. Hoe kon ik dat niet eerder hebben gezien?

'Je hebt een prachtige neus,' zei mama.

'Maar hij is zo groot,' zei ik. 'en hij hangt naar beneden als een reusachtige snotdruppel. En hij is niet lekker zacht, zoals de jouwe.'

'Het is jouw neus en hij is prachtig,' zei mama nog eens.

Maar dat is niet waar, dat kan zelfs een baby zien.

De volgende dag vond ik een verkreukelde tekening in mijn zak. Er was een eng wijf op getekend, met een neus als een uitgerekte schuiftrompet. Eigenlijk zag je vooral die neus. En twee kraaloogjes daarboven.

PAS OP VOOR DE HEKS

stond erbij.

Ik verkreukelde de tekening en stopte hem terug in mijn zak. Snel ging ik de school in, want ik was bang dat ze naar me zaten te kijken.

Die middag heb ik op het landje de tekening begraven. Daar zat ik zo'n beetje bij te huilen en ik dacht: 'Ik ga nooit meer naar school.'

Maar langzaam werd ik bozer en bozer. Ik dacht aan die jongen met dat hondje en zijn eigen kleine brave neusje. Vind je mij een heks? Goed dan! Als ik niet het leukste meisje van de klas kan zijn of het mooiste (voor allebei heb je blond haar nodig, denk ik) dan maar het allerbeste rotkind!

Dus toen ik aan de beurt was om het schoolplein te vegen, heb ik een schaar meegenomen. En toen heb ik dat hondje geknipt. Alle witte krulletjes in de wind. Er bleef een raar, roze gevlekt beestje over.

Toen de jongen zijn hondje zo zag, moest hij heel hard huilen.

'Dat heeft zij gedaan!' schreeuwde hij en hij wees naar mij.

De meesters keken verbaasd opzij. Mijn neus voelde ineens gigantisch, ik leek Pinokkio wel. Ik boog snel mijn hoofd zodat mijn haar voor mijn gezicht viel.

'Joni?' zei meester Frans met een ernstige stem.

Ik sloeg mijn handen voor mijn gezicht en toen dachten ze dat ik huilde. De stemmen van de meesters werden meteen zachter. 'Wat is er dan?' vroegen ze.

Misschien kwam het door die zachte stemmen, maar de woorden vielen zomaar uit mijn mond. Ik zei dat die jongen me altijd zat te pesten. 'Net als nu,' voegde ik eraan toe, met een zielig stemmetje.

En dat hielp!

Pesten is een machtig woord. De meesters keken heel ernstig naar die jongen. En naar mij keken ze juist heel lief.

'Zeg sorry tegen Joni,' zeiden de meesters.

Maar die jongen moest teveel huilen om antwoord te kunnen geven.

Niet veel later ging hij verhuizen. Hij heeft me nooit meer iets gedaan.

Mijn moeder is verliefd op jouw vader

Als ik thuiskom van school is de woongroep er. Dat zijn vrienden van mijn ouders en hun kinderen met wie we samen een heel groot huis bouwen. Daar gaan we allemaal in wonen en dat is leuk voor mij want dan krijg ik een soort broertjes en zusjes, zegt papa.

Mama heeft bowl gemaakt in een afwasteil. Dat is wijn met suiker en vruchtjes erdoorheen. Terwijl ze beneden steeds vrolijker worden en de rook in blauwe wolken door het huis trekt, speel ik doktertje met Martijn en Bas in het bed van papa en mama.

Bas heeft lang haar en speelt gitaar. Heel vaak zegt mama: ‘Ooo, wat een leuke jongen toch, die Bas. Dat haar! Die gitaar!’

Maar Martijn is veel knapper en daar kan je beter mee spelen. Want Bas zegt al heel gauw: ‘Jongens ik ben moe, ik ga slapen.’

‘Dan gaan wij gewoon samen verder,’ zeg ik tegen Martijn, want ik was net de dokter en dat is het leukst van het hele spel.

Maar doktertje spelen met zijn tweeën gaat veel minder goed en de andere kinderen slapen ook al, op matrasjes op de vloer. Dus blijven Martijn en ik nog een tijdje gewoon praten.

‘Tilly is verliefd op jouw vader,’ zegt Martijn. Tilly is zijn moeder. Tilly de kunstenares, zegt mijn moeder altijd, omdat Tilly zulke mooie kleden kan weven.

‘O,’ zeg ik, ‘dat is dan goed stom. Mijn vader heeft al mijn moeder.’

‘Dat weet ze ook wel,’ zegt Martijn, ‘maar ze zijn laatst toch samen naar het strand geweest, Tilly en jouw vader.’

‘Nou en?’ zeg ik.

‘Ze kwam pas om drie uur ’s nachts thuis. En de volgende ochtend zei ze: ‘Jongens ik ben toch zo verliefd op de dokter.’

De dokter: dat is mijn vader dus, hij is de huisarts van bijna iedereen die hier woont.

'Nou en?' zeg ik weer. 'Vrijheid blijheid.'

'Vrijheid blijheid,' zegt Martijn ook. Bij dat laatste woord valt hij in slaap.

Ik lig nog uren wakker. Ik denk over mijn vader en Tilly. Wat moet die ouwe trut met hem op het strand? Laat ze een eigen man zoeken! Ondertussen luister ik naar de geluiden van beneden. Muziek, gemurmel van stemmen, mijn vader die keihard lacht. Het ruikt naar koffie en sigaretten.

Ineens word ik doodsbang dat er brand komt. Veel mensen van de woongroep roken. Misschien gooien ze hun peuken wel op de vloer. Ik krijg het er warm van. Straks komen de vlammen onder de deur door. Ik moet wakker blijven! In mijn hoofd zie ik de boeken al branden, de gordijnen, mama's schildpadden in de keuken. Het wordt steeds erger. Hou op, zeg ik tegen mezelf, denk er niet aan!

Zo lig ik te woelen in mijn bed en niet aan brand te denken – en dus de hele tijd aan brand te denken. Uiteindelijk sta ik op en doe het raam open. Als het vuur dan door de deur komt, kan ik tenminste snel op het dakje van de schuur springen.

Maar dan denk ik: en papa en mama dan?

En dan kan ik helemaal niet meer slapen. Zwetend zit ik rechtop in bed. Gaan ze nou eindelijk weg?

Maar pas uren later komen de ouders hun kinderen uit de bedden vissen. Sommige kinderen worden wakker gemaakt, anderen worden opgetild en slapen gewoon door.

Tilly staat naast me. 'Hé Joni, ben jij nog wakker?' zegt ze.

'Ik kan niet slapen met al dat lawaai,' zeg ik. Ze buigt zich voorover en ik zie alleen nog maar haar. Dat haar mag ze ook wel eens weven, Tilly, het is net een schaap. En het stinkt altijd naar groentesoep, net als hun huis.

'Dan is het maar goed dat we je nu alleen laten,' zegt Tilly. 'Kom op Martijn, wakker worden.'

Ik wil dat iedereen weggaat. Ik wil samen met papa en mama

in het grote bed liggen en verder niemand erbij. Maar eerst moeten ze natuurlijk nog afwassen en opruimen en dat duurt lang... heel... lang...

Vanochtend moet ik met dikke slaapogen en halfgekamd haar naar school rennen en heb ik helemaal geen tijd om mijn vader te vragen hoe het precies zit met Tilly en het strand.

Maar waarom zou ik eigenlijk? Ik kan het beter snel vergeten.

– Wie gaat er mee pikken? –

Nadat ik dat hondje had geknipt, durfde ik steeds meer. Mijn plannetjes werden elke keer wilder en spannender. En toen lukte het ook om vriendinnen te maken. Misschien wel omdat ze wisten dat het met mij nooit saai was.

Annabel en Sandra zaten bij een soort musicalclub, die voorstellingen geeft in het buurthuis. Maar één keer hoorde ik Annabel zeggen: 'Altijd maar dat zingen. Ik heb er geen zin meer in.'

Nu of nooit, dacht ik.

Dus ik zei tegen Annabel: 'Ik heb geld. Ga je mee naar het winkelcentrum?'

En ze zei ja.

We gingen samen naar het winkelcentrum en kochten drop en haarspeldjes.

En de dag erna een gevulde koek en roze lippenstift.

Toen was het woensdagmiddag en Sandra vroeg: 'Mag ik ook mee naar het winkelcentrum?'

Sandra is heel aardig, ik vond het prima dat ze meeging. En ik was best trots toen ik voor ons alledrie een bakje patat kocht.

Maar toen was mijn geld wel op, dus moest ik iets nieuws verzinnen.

Ik heb een boek dat *De bende van rode Zora* heet. Het gaat over een meisje dat een bende van kinderen leidt. Ze moeten stelen om te overleven. Dat is zo spannend dat ik altijd al dacht: dat wil ik ook eens meemaken.

Dus ik zei tegen Annabel en Sandra: 'Zullen we iets gaan pikken?'

'Oké,' zei Annabel. Sandra keek alleen maar met grote ogen. Dat kan ze erg goed: grote ogen opzetten.

Die middag heb ik een pakje kauwgum gepikt en Annabel een hartje dat naar bloemetjes rook.

Dat was het allerspannendste wat ik ooit had gedaan. Ik wist zeker dat er een alarm af zou gaan, dat de drogist achter ons aan zou komen en mijn ouders zou opbellen, dat ik heel veel geld zou moeten betalen en dat mijn vader en moeder heel erg teleurgesteld in mij zouden zijn.

Maar we liepen gewoon naar buiten en aten de kauwgumpjes op en Annabel gaf het bloemenhart aan mij als cadeautje.

Vanaf dat moment gingen we vaker pikken. We werden er echt goed in, nummer 1 in pikken zeg maar. En Sandra werd het allerbest – door die grote, onschuldige ogen, denk ik.

Vandaag gaan we ook naar het winkelcentrum. Sandra's huisarrest is voorbij en we zitten op mijn kamer: Annabel, Sandra en ik. We lijken een meidenteam uit een strip of een tv-serie. Sandra is de liefste, Annabel de knapste en ik de slimste, want ik verzin alle plannen.

Mijn moeder klopt aan met thee en het bericht dat het lekker weer is. 'Willen jullie niet buitenspelen?' vraagt ze. Ze heeft vandaag een kort geruit rokje aan en laarzen tot over haar knieën.

'Jouw moeder is zo knap,' zucht Sandra als ze weer weg is.

Ik knik en moet even aan Tilly denken, dat stomme schaap. Waarom zou mijn vader daar de halve nacht mee op het strand gaan zitten. Hij heeft toch mij en mama?

Het is een stomme gedachte. Ik spring snel op om hem kwijt te raken. 'Wie gaat er mee?'

'Buitenspelen?' vraagt Sandra.

Ik schud mijn hoofd. 'Ik haat spelen in een kooi.'

'Haha, in een kooi,' zegt Annabel.

Bij ons in Buitenwijk is alles keurig bedacht. Je moet lopen op het gele voetpad, uitrusten op de groene bankjes en spelen in het speeltuintje achter de hondenuitlaat. Daar stinkt het dus altijd en er staat een hoog hek omheen, zodat de ballen niet op straat komen.

'We gaan pikken in het winkelcentrum,' zeg ik en ik pak alvast de plastic tassen.

We slurpen snel onze thee op. 'We gaan even naar het winkelcentrum,' roep ik in de richting van de keuken.

'Prima!' roept mama. Ze is al de hele dag bezig met dingen uitzoeken voor de woongroep. Het huis waar we allemaal in passen is bijna klaar. Ze maken nu het dak.

Het winkelcentrum is fonkelnieuw, net als onze huizen. Sommige winkels zijn nog niet eens open.

We beginnen, zoals meestal, in de drogist. Vandaag ben ik aan de beurt. Annabel en Sandra lopen naar de drop. Ze doen alsof ze stiekem willen proeven. Daar is de drogist altijd heel bang voor, dus hij komt steeds dichterbij terwijl hij zijn ogen niet van Annabel en Sandra af kan houden.

Daardoor kan ik met alle gemak kiezen wat ik hebben wil.

Een rozenzeepje.

Een mannenparfum, alvast voor papa's verjaardag.

Een grappige tandenborstel.

Een soort crème in een heel leuk tubetje.

Een washand.

Met mijn tas vol spullen loop ik rustig naar Sandra en Annabel. We kopen zestig gram drop.

'Nu de boekwinkel,' zeg ik.

Ik ben dol op de boekwinkel. Er werkt een vriendin van mama. Olga heet ze en zij komt ook in de woongroep. Olga zoekt altijd boeken voor me uit in de kinderboekenweek en als het zomervakantie is. Verder haal ik mijn boeken altijd bij de bibliotheek. Maar nieuwe boeken zijn leuker dan bibliotheekboeken. Mooier en schoner. De hele winkel ruikt ernaar.

'Hallo meisjes,' zegt Olga als ze ons ziet. 'Willen jullie lekker rondkijken?'

'Ja,' zeggen we en Olga gaat verder met boeken uitpakken. 'Roep maar als je een vraag hebt,' zegt ze nog.

We lopen eerst een tijdje langs de kasten met grotemensenboeken om te kijken of er nog grappige tussen zitten. We vinden er één met een bloot mannenlijf erop – met piemel en al. Net een dikke worm in een harig bosje.

Maar dan gaan we gauw naar de kinderboeken. Er zit niet veel nieuws tussen, helaas. Ik pak een paardenboek en stop dat in de band van mijn broek onder mijn jas. Eigenlijk een beetje suf, want ik hou niet eens van paarden.

Met het boek goed tegen me aan geklemd blijf ik nog even met Olga praten. Ze vertelt me over het nieuwste boek in mijn lievelingsserie. Dat komt bijna uit.

'Ik leg het voor je opzij,' zegt ze.

'Als ik het mag hebben van mama,' zeg ik.

Olga knipoogt. 'Laat dat maar aan mij over.'

Annabel en Sandra komen naast me staan. Dat betekent dat ze klaar zijn. We gaan de winkel weer uit.

'Dag meiden!' roept Olga.

Annabel heeft het boek met de blote man gepikt en Sandra heeft hetzelfde paardenboek als ik. Dat lag nou eenmaal op zo'n makkelijke stapel.

– Je weet toch dat papa en ik heel veel van je houden? –

'Kijk nou,' zegt Annabel als we bijna bij mijn huis zijn.

'Wat, die schildpadden? Dat vinden ze lekker, zo in de zon.'

Voor het raam staat de glazen bak met mama's schildpadden. Ze liggen een beetje sloom bovenop elkaar tussen de oude andijvie.

'Nee, je moeder.'

Achter de bak met schildpadden zie je mama in de keuken. Je kan horen dat ze de muziek heel hard aan heeft staan.

'O, die danst,' zeg ik.

'Mogen we wel naar binnen?' vraagt Sandra.

'Tuurlijk.' Ik trek aan het touwtje dat altijd uit de brievenbus hangt.

De muziek is meteen overal om ons heen. Ik gooi de deur naar de keuken open en daar danst mama. Ze lacht als ze ons ziet.

'Is everybody happy?' zingt ze.

Ik spring op een stoel. *'Yeah!'* roep ik met de muziek. Annabel springt meteen op de stoel naast me.

'Is everybody fine?' gilt mijn moeder.

'Yeah!' roepen Annabel en ik. Sandra roept het ook, maar ze blijft netjes bij de deur staan.

'Is everybody ready?'

'Yeah!'

Als mama zo vrolijk is, word ik dat meteen ook. We dansen totdat de muziek is afgelopen.

'Was het leuk in het winkelcentrum?' hijgt mama in de plotselinge stilte.

'Heel leuk. Olga zei dat er volgende week een nieuw boek voor me komt.'

Dan zie ik dat het paardenboek uit de jaszak van Sandra is gevallen. Ik probeer er onopvallend naar te wijzen.

'Blijven jullie eten?' vraagt mama aan Annabel en Sandra.

Ik kijk boos naar Sandra en met een half oog op mama wijs ik op het boek. Ze staat er bijna bovenop, maar snapt het nog steeds niet!

'Nee, ik kan niet. Ik moet naar huis.' Annabel pakt snel Sandra's boek van de grond. Annabel is tenminste slim.

‘Ik moet ook naar huis,’ zegt Sandra en ze gaan weg.

‘Dan zijn wij gezellig met ons tweetjes,’ zegt mama tegen mij. Ze heeft nog steeds rode wangen van het dansen.

‘Komt papa niet?’

Maar nee, papa moet alweer iets doen voor de woongroep, samen met iemand anders. Iets met geld.

‘En Tilly?’

‘Wat is er met Tilly?’

‘Is die er ook bij?’

‘Niet dat ik weet,’ zegt mama. ’Waarom?’

‘Martijn zegt dat ze verliefd is op papa.’

Mama begint te lachen – terwijl er niks te lachen valt. Het klinkt ook niet echt vrolijk, vind ik.

Ik loop gauw de keuken uit en de trap op naar mijn kamer. Er is een losse plank onder mijn bed. Daar verstop ik altijd de spullen die ik gepikt heb. Ik moet zo langzamerhand flink proppen om het er allemaal bij te krijgen. Maar waar moet ik het anders laten? Die boeken kan ik toch niet lezen zonder dat mama het ziet. En die zeepjes enzo kan ik ook niet gebruiken. Dan zegt ze natuurlijk meteen: waar ruik je naar? Of: wat is dat flesje daar in de badkamer?

‘Joni?’

Ik schrik zo, dat ik mijn hoofd stoot aan mijn bed. ‘Kan je niet kloppen?’

‘Sorry, lieverd,’ zegt mama. Ze gaat op de rand van mijn bed zitten. ‘Kom daar eens onder vandaan.’

‘Wat is er?’ vraag ik, nogal onaardig. Heeft ze iets gemerkt? Ik kijk snel rond. Er ligt gelukkig niks meer, alleen een plastic zak, maar die is leeg.

‘Ik wilde even met je praten,’ zegt mama. ‘Over wat je zei over Tilly.’

‘Het gaat mij niet aan,’ brom ik.

‘Kom nou eens even naast me zitten,’ zegt mama lief en ik ga met een zucht zitten. Dit wordt vast Een Gesprek.

En ja hoor. Mama begint meteen: ‘Je weet toch dat papa en ik heel veel van je houden?’

'Ja, natuurlijk,' zeg ik zo vrolijk mogelijk.

'En dat papa en ik veel van elkaar houden?'

'Ja hè hè. Anders woonden jullie niet samen.'

Mama glimlacht. 'Maar we hebben ook veel vrienden. En soms is het leuk om gewoon een beetje te... zoenen met iemand anders.'

Ik trek een vies gezicht. 'En om verliefd te zijn?'

Mama haalt haar schouders op. 'Soms. Een beetje. Papa is niet... van mij alleen. Hij is een leuke man en Tilly is een leuke vrouw.'

Ze kijkt me nu niet meer aan. Haar stem sterft een beetje weg. 'Als je groter bent, zul je het wel begrijpen.'

Dat zeggen ze nou altijd. Ik ben benieuwd of het echt zo is. Of de wereld ineens totaal verandert als ik groot ben. Want volgens mij begrijp ik het nu al behoorlijk goed.

'En jij?' Ik durf het bijna niet te vragen. Ik vind dit gesprek heel stom en mama vast ook.

'Ik?'

'Ben jij ook wel eens verliefd?'

'Jawel hoor,' zegt mama. 'Vorig jaar nog. Op oom Rob.'

'Op oom Rob?!'

Oom Rob heeft overal haar. Het kruipt uit zijn shirt omhoog en zijn handen lijken op klauwen. 'Oom Rob valt toch op mannen?'

'Ach, dat moet je niet zo streng zien,' zegt mama. Ze is een beetje rood geworden en schopt met haar voet tegen iets aan. 'Hé, wat is dat voor mooie pen?'

O jee, ze heeft de vulpen gezien die ik vorige week heb gepikt uit het mooie-cadeau-winkeltje. Die is zeker uit mijn geheime plek gerold toen ik de andere spullen erin deed.

'Ja, mooi hè,' zeg ik snel. 'Die is van Sandra. Ik heb hem van haar gekregen.'

'Zomaar? Wat lief.'

'Ja hè! Sandra is echt lief. Heel lief.'

'Ze heeft ook een bijzondere vader,' zegt mama, terwijl ze opstaat.

'Sandra's vader bijzonder?!' Ik val bijna om van verbazing. We hebben het hier toevallig wel over de strengste vader van de hele school.

'Ja, hij heeft toch laatst die medaille gekregen?'

'O, dat.' De vader van Sandra heeft in het bejaardentehuis waar hij werkt een dief ontmaskerd. Die kwam stiekem bij al die oudjes op de kamer en stal geld en broches uit hun tasjes.

'Toevallig slaat hij haar wel,' zeg ik. We staan inmiddels bij de trap.

'Wie, de vader van Sandra? Slaat hij haar?' Nu is mama verbijsterd. Zij slaat mij zelf echt nooit. Als ze boos is, dan zegt ze dat gewoon en dan gaan we erover praten.

Ik knik. 'Weet je dat ze laatst een blauwe plek op haar arm had? Daar had hij haar geknepen!'

'Nou zeg,' zegt mama. 'Misschien moet ze een keer met papa gaan praten? Hij is haar dokter, ze kan hem alles vertellen.'

'Ja, als ze wil...' Druk pratend over Sandra lopen we naar beneden. Dat gesprek is tenminste veilig.

– Een levensgevaarlijk militair oefenterrein –

De afgelopen week was echt stom. Niet alleen werd ik de hele tijd door de meester met die Ouave opgescheept, ik kreeg ook nog een uitnodiging voor de verjaardag van Monique!

'Vind je het leuk?' vroeg Monique en ik had bijna gezegd: 'Nee, helemaal niet. Je bent mijn vriendin niet, ook al geef je elke dag een feestje, en je kleren zijn ook stom.'

'Wie komen er nog meer?' vroeg ik in plaats daarvan en ze noemde alle sukkels van de klas op. Zelfs Ouave was erbij. Wanneer zijn die twee vriendinnen geworden?

'En jij,' zei Monique blij.

'En Annabel en Sandra?'

Monique trok rimpels in haar neus zodat je precies in haar

neusgaten kon kijken. 'Ik kan het vragen,' zei ze voorzichtig.

'Anders is het gemeen,' zei ik. 'Als ik wel mag en zij niet... dan kom ik ook niet.'

Annabel en Sandra mogen maar blij zijn dat ik hun vriendin ben.

En dus zitten we vandaag in zo'n gehuurd busje op weg naar...

'Naar het wát?'

'Het legermuseum.'

Dit geloof je toch niet. Ik bedoel, Monique is een echt meisje, zo een met rokken aan. En dan ga je je feestje toch niet doen in het legermuseum – wie vindt dat nou leuk!

Het is ook nog eens heel ver rijden en daar kan ik niet tegen. Als Annabel en Sandra er niet bij waren, was ik allang uitgestapt. Bovendien zijn er allemaal vieze broodjes met teveel boter en zweetkaas. Echt smerig, tegen de tijd dat we eindelijk bij dat legermuseum aankomen ben ik kotsmisselijk en superchagrijnig.

'Bij elkaar blijven!' De vader van Monique loopt rond alsof het zijn eigen partijtje is.

Als ik uitstap, ben ik meteen weer vrolijk. Het is echt mooi, we zijn midden in een bos. Alle kinderen rennen rond, maar dat mag niet want we moeten met een meneer mee naar binnen. De vader van Monique loopt voorop.

De geschiedenis van het wapen, blablabla, de geschiedenis van het uniform, de 'voertuigen zoals de tank', blablabla. Na drie zalen heb ik het helemaal gehad.

'Kom mee,' fluister ik tegen Annabel. Ze knikt.

'Waar gaan jullie heen?' vraagt Sandra.

'Gewoon een beetje rondkijken.'

'We moeten bij de rondleiding blijven.'

'Niemand merkt het toch.'

'Maar anders weten we straks de vragen niet...'

'Blijf jij maar lekker hier,' zeg ik, en dan komt ze natuurlijk toch mee.

Snel schieten we een of andere zijdeur door. De kamer daarachter is pikdonker. Meteen wordt het spannend.

'Er staat hier iemand,' piept Annabel.

'Wat? Waar ben je?' Ik loop heel langzaam naar Annabel toe.

En dan zie ik het ook. Als je ogen eenmaal gewend zijn aan het donker, zie je dat daar een soort spook staat. Een grote strenge man.

'Wie is dat?' fluistert Sandra.

'Misschien is hij versteend,' zegt Annabel, maar dat wordt me toch een beetje te gek.

Ik doe nog een paar stappen. 'Er staat er nog één. En hier nog één.'

'Ik vind het eng,' zegt Annabel. 'Laten we teruggaan.'

'De kamer van de versteende ridders,' zeg ik met een griezelstem. Ik hoor Sandra heel snel ademhalen en ook een beetje piepend. Ik hoop maar niet dat ze precies nu een aanval van hyperventilatie krijgt.

'Ik ga weg,' zegt Annabel.

Ik steek mijn hand uit. Koud. Hard. Alsof je een pan aanraakt.

'Annabel! Het zijn gewoon van die stomme harnassen.'

We beginnen alledrie keihard te lachen.

'Kom,' zeg ik. 'We gaan naar buiten.'

Na wat omzwervingen komen we eindelijk weer in de grote hal. Als het meisje van de kassa de andere kant op kijkt, glippen we snel de deur door.

Het is zo lekker in dat bos! Heel zonnig en fris tegelijk.

'Laten we een boswandeling gaan maken,' zegt Annabel.

Sandra kijkt even achterom maar ze loopt toch met ons mee. Onder de bomen is het koel. Er komen van die witte plekjes zon doorheen. Het pad is niet meer dan wat oude bruine blaadjes die onder onze voeten ritselen.

'We gaan verdwalen,' beslis ik. Dat heb ik altijd al eens willen doen: echt verdwalen in een donker bos.

'Maar...' zegt Sandra.

'Diep ademhalen,' zeg ik tegen haar. 'Er zit moed in de lucht. Dat kan je opzuigen.'

Ik weet niet of het waar is, maar Annabel en Sandra beginnen meteen diep adem te halen.

'Die anderen zijn vast toch nog een eeuw bezig met hun rondleiding,' zegt Sandra.

We lopen kriskras tussen de bomen, maar we komen steeds weer op dat pad terug. Het is nog best moeilijk om goed te verdwalen.

Ineens horen we een knal. En dan meteen nog een keer.

'Wat was dat?' vraagt Sandra.

'Schoten,' zeg ik. 'Dat hoor je toch. Dat zijn natuurlijk jagers.'

'Waar jagen die dan op?'

'Wolven,' zeg ik. Het zou zomaar kunnen. Ik gluur om me heen. Beweegt daar al wat in het struikgewas? Ik pak alvast een stok.

Dan zegt Annabel: 'Ik heb honger.'

'Wil je terug?' vraagt Sandra. 'Er is vast nog wel wat eten over.'

'Die vieze boterhammen?' vraag ik.

'Nee, ik wil däárnaartoe.' Annabel wijst. In de verte is een pannenkoekenhuisje.

'We hebben toch geen geld,' zeg ik.

Maar Annabel haalt met een trots gezicht een verkreukeld tientje uit haar broekzak.

'Hoe kom je daaraan?'

'Van mijn vader.'

'Gekregen? Waarom?'

'Nou, niet helemaal gekregen,' grinnikt Annabel.

'Gepikt?'

'Het zat in zijn zak,' begint Annabel.

'Gepikt dus.'

'En die broek zat in de wasmand. Heel toevallig voelde ik het ritselen. Dus als ik het niet had gepakt, was dat briefje toch in de wasmachine verdwenen.'

Ik knik. 'Dan kunnen wij er heel wat beter chocolademelk voor kopen.'

'En appeltaart,' zegt Annabel.

We gaan er meteen naartoe. Binnen in het pannenkoekenhuis is het best donker. Wij zijn de enige klanten.

Alsof we heel vaak samen in restaurants zitten, pakken we de menukaart. We bestellen warme chocolademelk met slagroom en gevulde koeken. Annabel heeft zin in een uitsmijter met ham. En ik wil tomatensoep. Dus algauw staat de tafel vol.

'Zouden Monique en de rest nog steeds in diezelfde zaal zijn?' vraagt Annabel met haar mond vol ei.

'O, dat duurt vast nog eeuwen,' zeg ik snel. Ik hoop niet dat ze terug willen, dit is veel leuker.

'Aan het einde zouden ze een quiz doen,' zegt Sandra.

'Over het leger?'

'Ja, en over de rondleiding. Als je goed had opgelet, kreeg je een soldatendiploma.'

Ik haal mijn schouders op. 'Wat moet je daar nou mee?'

Maar tien minuten later wil Annabel toch terug. 'Misschien zoeken ze ons wel.' Ze vraagt, heel stoer, om de rekening.

De serveerster legt een bonnetje op tafel. Annabel pakt het op, bekijkt het en wordt rood.

'Hebben jullie geld bij je?' vraagt ze.

Ik schud mijn hoofd. 'Hoeveel is het dan?'

'Elf vijfentwintig.'

'O nee!' zegt Sandra dramatisch.

Geschrokken kijken we elkaar aan. Wat nu? Heel hard weglopen?

Ik gluur naar de serveerster. Die staat te dichtbij.

'We moeten het zeggen,' besluit ik.

'Ik durf het niet,' piept Annabel. Ze is nog steeds vuurrood. Sandra zegt helemaal niks meer.

Ik gris het tientje uit Annabels hand en loop naar de serveerster.

'De rest van het geld komen we zo brengen,' zeg ik met mijn liefste stem. 'Mijn vader is bij het museum verderop. Daar gaan we even geld halen.'

De serveerster kijkt van mij naar Annabel en Sandra. Ze is eigenlijk ook nog maar een meisje, ze lijkt op mijn oppas Rosa. 'Echt waar?' vraagt ze.

'Nu meteen,' beloof ik.

De serveerster zucht. 'Wel doen hoor,' zegt ze. 'Anders moet ik het van mijn eigen fooien terugbetalen aan de baas.'

Ik knik. 'Kom, Annabel.'

Als we buiten zijn vraagt Annabel: 'Ga je dat geld echt vragen aan de vader van Monique?'

'Ja, waarom niet?'

'Kom jongens,' zegt Sandra. Ze heeft een beetje een snor van chocolademelk. 'We moeten opschieten. Die rondleiding is nu zeker afgelopen.'

We beginnen te rennen. Als we vlak bij het museum zijn horen we al iemand roepen: 'JONI! ANNABEL! SANDRA!'

Dan zien we de kinderen tussen de bomen.

'Hier zijn ze!' roept een of ander neefje van Monique.

Verderop staat Monique zelf, naast Ouave. Ouave heeft een arm om haar heen geslagen, het lijkt of Monique huilt.

'Kijk eens,' zegt Ouave tegen Monique en tegen ons zegt ze, heel vriendelijk: 'Waar jullie vandaan?' Het gaat nog niet helemaal goed met haar Nederlands.

'Ja, dat zou ik ook wel eens willen weten,' klinkt een boze stem. Het is de vader van Monique.

'Nou,' begin ik, want Annabel en Sandra zeggen natuurlijk niks, 'ik was heel erg misselijk. Nog van dat busje. En toen zijn we even een wandelingetje gaan maken.'

'Ze had frisse lucht nodig,' zegt Annabel.

'Dat doe je toch niet zonder te vragen?!' brult de vader van Monique. 'We hebben ons rot gezocht. Halverwege waren we jullie kwijt. Hebben we de hele rondleiding moeten aflasten. Er zijn zelfs troepen op zoek naar jullie in het bos. Dit is een militair oefenterrein, het is hier levensgevaarlijk, begrijp je dat wel?!'

Hoezo levensgevaarlijk, denk ik. Er stond toch gewoon zo'n

restaurantje? Maar dat kan ik natuurlijk niet zeggen.

De vader van Monique stampt woest in het rond en Monique huilt nog steeds. Van schrik beginnen Annabel, Sandra en ik ook te huilen. Wat een rotfeest!

Iedereen is er nog helemaal stil van als we taart gaan eten bij het museumrestaurant. Ik krijg natuurlijk geen hap meer binnen na alles wat we al op hebben.

'Ga je dat geld nog brengen?' fluistert Annabel.

Ik schud mijn hoofd. Dat kan niet meer.

Tot overmaat van ramp moet ik op de terugweg in het busje overgeven. De tomatensoep, de gevulde koeken – alles komt eruit. En Monique, die net weer een beetje vrolijk was, krijgt er een beetje (echt een heel klein beetje!) van over haar verjaardagsjurk en begint opnieuw te huilen. Terwijl het een donkerbruine jurk is met bloemetjes, je ziet het niet eens!

'Ze heeft zich wel een beetje misdragen,' zegt de vader van Monique als hij mij thuisbrengt.

Mama kijkt verbaasd en de vader van Monique staart naar het verlepte blaadje sla in haar hand.

Mama volgt zijn blik. 'Voor de schildpadden,' zegt ze.

'Schildpadden?'

Mama gebaart naar de bak waar de vijf schildpadden al reikhalzend uitkijken naar hun avondeten.

'Bij de dierenwinkel zitten ze zo zielig in van die kleine kistjes,' zegt ze verlegen.

'Dus koopt u ze steeds maar op?' zegt de vader van Monique streng. 'Hoe lang denkt u daarmee door te gaan?' Waar bemoeit hij zich mee?

Mama lacht een beetje.

Ik trek aan haar mouw. 'Ik heb overgegeven.'

Mama draait zich naar me toe. 'Ach lieverd. Kom maar gauw binnen.'

Ze zegt 'bedankt' tegen de vader van Monique en doet snel de deur achter me dicht.

'Wat was dat nou?' zegt ze als ik schone kleren heb aangetrokken. 'Wat bedoelde Moniques vader precies met dat je je misdragen had?'

'Het was een heel stom partijtje,' zeg ik boos, 'in het legermuseum.'

'Legermuseum?'

'Ja, eng hè? En toen zijn Annabel, Sandra en ik een wandelingetje gaan maken omdat ik dus misselijk was. En toen was die vader van Monique echt heel kwaad. Maar wie vindt dat nou leuk, een legermuseum? Dat is toch niks voor een partijtje?'

'Nee, dat lijkt me ook niet,' zegt mama. Ze geeft me bouillon en dat helpt.

– Je billen zijn zo mooi rond –

Op school gaan we onze schaduw knippen.

Dat gaat zo. Eén kind zit op een stoel met een grote lamp ernaast, zodat de schaduw van zijn gezicht op de muur valt. Meester Frans heeft daar grote vellen papier opgehangen. Iemand anders tekent de schaduw netjes op het vel en later knip je die uit van zwart karton. Simpel. Aan het eind van de ochtend hangen er allemaal zwarte hoofden op een rij en gaan we raden wie wie is.

'Dat is Angeline,' roept iemand. Maar het blijkt Marco te zijn. Iedereen lacht en Marco wordt boos.

'Dat grote hoofd daar in de hoek ben ik,' roept meester Frans snel. 'Ik heb de meeste krullen van iedereen. Zien jullie wel?' Meester Frans is zo trots op zijn krullen.

'Dat is Annabel, met dat lange haar. En dat Monique.' Ik heb het bijna allemaal goed.

Maar dan gebeurt het.

'Wie is die heks?' roept Marco.

'Welke heks?' vraagt Jacco nieuwsgierig, en ik krimp in elkaar of ik een klap krijg.

‘Nou, die met die enorme neus natuurlijk.’

‘Dat is een jongen,’ zegt Monique.

Maar Angeline, die nooit haar mond open doet, zegt keihard: ‘Weet je dat niet eens? Dat is Joni natuurlijk. Die heeft een heksenneus.’

Heel even valt alles stil. De hele klas kijkt naar mij en mijn neus wordt met de seconde lelijker en walgelijker. Ik sta als versteend en wil dat ze allemaal doodvallen. Nu. Angeline en Marco en meester Frans die dit stomme schaduwproject is begonnen.

Maar op dat moment gaat de bel voor de pauze en meester Frans roept hard: ‘Jongens, naar buiten allemaal, hup! Het is heerlijk weer.’

Hij komt op me af, maar ik glip de wc in en blijf daar de hele pauze. In de spiegel kijk ik hoe lelijk ik ben. Wit en hekserig. Ik houd mijn hand voor mijn neus en kijk opnieuw. Zie je, dat is al beter. Het is die neus, die verpest alles. Waarom ben ik ook zo lelijk?

‘Joni?’ Aan de andere kant van de wc-deur staan Annabel en Sandra. Als zij me nu nog maar als vriendin willen. Dat moet, denk ik in paniek. Wat kan ik voor leuks verzinnen?

Ik haal diep adem en veeg snel over mijn ogen voor het geval daar tranen zouden zitten.

Dan gooi ik met een zwaai de deur open.

‘Je hebt helemaal geen...’ begint Sandra.

‘Angeline is een trut,’ zeg ik hard.

Annabel knikt. ‘Ze doet alleen maar zo omdat ze verliefd is op Jacco,’ zegt ze.

‘Echt?’

‘Ja, dat heeft ze in het grootste geheim aan Monique verteld.’

Het kan me even niet schelen wanneer Annabel dat dan van Monique gehoord heeft, want ik krijg onmiddellijk een goed idee. Uit de prullenbak pak ik een leeg velletje papier. ‘Hebben jullie een pen?’

Sandra gaat snel een stift halen.

Lieve Jacco, schrijf ik, *ik vind je toch zo knap*

'En zo lekker,' zegt Annabel die over mijn schouder meeleest.

en zo lekker. Je billen zijn zo

'Mooi rond,' giechelt Annabel.

mooi rond, schrijf ik. *Wil je verkering met me, alsjeblieft?*

'Waarom schrijf je dat allemaal?' vraagt Sandra.

'Dat schrijf ik niet, oen, dat schrijft Angeline.'

'Angeline?' vraagt Sandra. Annabel stikt van de lach. 'Schrijf duizend kusjes,' zegt ze.

Duizend kusjes van

je Angeline.

Net voor de pauze voorbij is, prop ik het briefje in Jacco's laatje. De les is nog geen vijf minuten begonnen of het briefje wordt al de klas doorgegeven. Overal klinkt onderdrukt gegiechel. Meester Frans kijkt onderzoekend mijn kant op, maar ik lach vrolijk mee. Mijn plan is gelukt, het gaat nu niet meer over mij.

'Oho.' Angeline slaakt een kreetje als het briefje eindelijk bij haar is beland. Ze kijkt even snel naar Jacco die opstaat en met zijn billen schudt als een sambadanseres. De hele klas barst uit in gelach.

Angeline rent met een rood hoofd de gang op, meester Frans springt op. Angeline stormt helemaal in paniek over het schoolplein en meester Frans draaft er met wapperende sjaal achteraan. De klas verdringt zich voor het raam. Jacco moedigt de meester aan: 'Ja, nog even door, nog iets harder, je bent er bijna, je kunt het wel. Ja, ja, JAAA! O nee, daar glipt ze weer weg. Pak haar, pak die jas, ja zo, heel goed. O nee, nu heeft hij alleen een jas te pakken...'

Ik moet zo hard lachen dat het bijna huilen lijkt.

Alleen Ouave lacht niet. Ze zegt ernstig: 'Dat is niet lief.'

Lief? Wat heb je daar nou aan? Liever nooit meer lief.

– Wie lust er nog een toastje? –

Het huis voor de woongroep is klaar.

Mama en ik zijn er vaak langs gelopen. Eerst stonden er overal steigers en stalen sprieten. Toen bouwden ze een soort enorme doos van steen. En nu zit er ook een dak op en ramen.

Eigenlijk lijkt het nog het meest op een mini-flat. Dat klopt ook, want er wonen straks wel vijf gezinnen en één oude vrouw waar we samen voor moeten zorgen. Er is een zaal voor feestjes en één grote keuken, die eruitziet als de keuken van een restaurant. Verder lijkt het erg op waar we nu wonen, dus ik snap niet waarom we eigenlijk moeten verhuizen.

Maar vandaag is het openingsfeest. We hebben kussens en kaarsen en muziek naar dat huis gesleept en ook pannen met sangria. Ik mag toastjes smeren en rondlopen als een echte serveerster.

Dat is eerst nog wel leuk, maar later wordt iedereen dronken en vind ik steeds toastjes met maar één hap eruit op de grond.

'De paté is op,' zeg ik tegen Martijn.

Martijn kijkt in de tassen. 'Er zijn nog wel heel veel toastjes. En melk en mayonaise. O wacht, dit is gewoon iemands boodschappentas. Er zit zelfs kattenvoer in.'

'Geef eens.'

We kijken elkaar even aan.

'Dat kun je niet maken,' zegt Martijn.

'Nee,' zeg ik. 'Geef die blikopener eens.'

Het kattenvoer ruikt zelfs naar paté. Je moet dat glibberige bruine spul dat erbovenop zit wel een beetje door de rest heen roeren, dan wordt het lekker smeuiig. Ik begin het uit te smeren op een toastje. Het ziet er best lekker uit.

'Laat mij eens.' Martijn wil nu ook. We maken zoveel mogelijk toastjes. Uit één zo'n blik krijg je er wel twintig.

We kijken allebei naar het volle blad. 'En nu?' zegt Martijn. 'Durf jij het uit te delen?'

Ik til het blad op en loop weer de kamer in. Op de grond zit een groepje mensen sigaretten door te geven. Ik houd het blad in het midden. 'Toastje?'

'Heerlijk,' zegt iemand. Het is Olga van de boekwinkel.

Martijn en ik kijken allebei ademloos toe. Olga kauwt en smakt met haar lippen.

'Heerlijk,' zegt ze dan nog een keer.

Martijn staat keihard te lachen. 'Wie lust er nog wat kattenvoer?'

'Stil nou,' zeg ik. Ik loop verder en iedereen pakt toastjes. Niemand zegt: 'Wat is dit nou?' Ze eten het allemaal op.

Op de grond is het kleverig van de omgevallen bekers sangria. Tegen de wc-deur aan liggen twee mensen te zoenen, ik kan niet zien wie het zijn. Verderop zie ik Tilly, de moeder van Martijn. Ze zit naast papa *en ze heeft haar hand op zijn knie*.

'Hier!' Ik duw mijn blad zo hard naar voren dat Tilly haar arm wel opzij moet doen.

Geschrokken kijkt ze op.

'Toastje?' snauw ik.

'Eh... nee dank je Joni,' zegt ze liefjes.

'Ze zijn anders heel lekker.'

'Maar ik ben vegetarier,' zegt Tilly.

'Geef mij maar,' zegt papa en – hap – daar propt hij al een toastje in zijn mond.

Ik staar hem aan, maar hij glimlacht alleen en zegt: 'Mmmm.'

Iedereen is gek geworden. Ik kijk naar Martijn en ik zie dat hij hetzelfde denkt.

Zonder iets te zeggen lopen we de kamer uit. Op de treden van de trap zitten overal mensen. Ook mijn moeder. Ze zit ernstig te praten met een vrouw in een leren rok, ik ken haar niet. De vrouw wrijft steeds in haar ogen alsof ze moe is.

'Dus ik gooide alles wat ik heb in dat busje en ik ben gewoon gaan rijden.'

'En hoe voelde dat?' vraagt mama.

Ik trek aan haar arm. 'Mama?'

'Nu even niet, Joni.'

'Maar ik wil naar huis, ik ben moe.'

'Eh...' Mama kijkt me verward aan. 'Boven liggen slaapzakken. Daar is het rustig.'

'Maar er staan hier nog helemaal geen spullen. Geen bedden, geen handdoeken en er is ook geen tandpasta. Ik kan hier niet slapen.'

'Ga het nou eerst even proberen,' zegt mama en ze draait haar rug naar me toe.

De vrouw met de leren rok begint weer te praten, ik hoor het woord 'vrijheid'. Ze zijn dol op dat woord, mama en haar vriendinnen.

Boos stamp ik de trap op. 'Je kunt beter op je man letten,' zeg ik tegen mama's rug.

In de eerste kamer die we tegenkomen, liggen twee kleine kinderen te huilen. In de hoek zit Bas, de broer van Martijn. Hij speelt op zijn gitaar.

'Bas, wat doe je?' vraagt Martijn.

'Ik speel gitaar. Daar worden die baby's rustig van.'

Martijn en ik kijken naar de krijsende kindjes.

Dan begint Martijn te lachen en ik doe met hem mee. 'Daar worden... haha... die baby's rustig van... hahaha!'

Algauw kunnen we niet meer ophouden. We rollen over de slaapzakken van het lachen. Eén van de baby's is van schrik stil.

'Wat is er nou?' zegt Bas, maar dan kruipt er ook langzaam een lach op zijn gezicht.

'Kijk,' roept Martijn, 'er zit een gat in die slaapzak. Allemaal veren!'

Hij begint de veren in het rond te gooien.

Het is een beetje kinderachtig maar toch leuk, een verengevecht! Ik scheur een andere slaapzak open en gooi veren terug. Ze dwarrelen hoog op. Bas doet ook mee en we dansen met ons drieën tussen de veren door. De hele kamer wordt wit. Er plakken veertjes aan mijn haar, mijn mond, mijn wimpers. Bas en ik pakken Martijn vast en begraven hem onder de veren. Als hij zich eindelijk heeft losgeworsteld en omhoog komt, lijkt hij wel een engel. Nog een slaapzak gaat open. En nog één.

Als we uiteindelijk hijgend en nalachend op de vloer ploffen, heb ik het gevoel alsof we op een wolk liggen.

'Die baby's zijn er stil van,' zegt Bas.

En inderdaad, de kindjes liggen allebei heel zoet te slapen, midden tussen de veren.

'Ik ga ook slapen.' Bas spreidt een kussen en een deken uit op de grond. 'Mag ik het licht uitdoen?'

Even later is het donker in de kamer. Bas zegt niks meer en aan de ademhaling van Martijn hoor ik dat hij ook slaapt.

Ik moet een paar keer niezen, van al die veren natuurlijk. Ze kriebelen op mijn wangen.

Verder is het warm en rustig in de kamer. Het ruikt er lekker, naar verf en naar baby.

Ik trek een deken over me heen. Van beneden klinkt nog steeds het geluid van rinkelende glazen, gelach en gemompel. En van die muziek waar je treurig van wordt. Met van die zweefstemmen en een verhaal erin dat ik niet begrijp, want het is Engels. Van die papa-muziek.

Af en toe gaat de deur van de kamer open en sluipt er een kind naar binnen om te gaan slapen. Licht. En weer donker. Licht, en weer donker. Elke keer doe ik snel mijn ogen dicht.

'O, een vogelkamer!' zegt iemand.

Een moeder zingt een slaapliedje en gaat dan snel weer weg.

Eén van de baby's wordt weggehaald.

Kort daarna gooit iemand de deur open en dicht en roept: 'O nee, niet hier. Hier slapen kinderen.'

Maar ik kan helemaal niet slapen. Ik mis mijn eigen bed. Ik mis papa en mama.

Ik hoop dat het niet zo lang meer duurt voor het afgelopen is. Mijn oren zijn gespitst op geluiden van dichtslaande deuren, mensen die 'dag' roepen, iets wat klinkt als afwas. En ondertussen duurt elke seconde eindeloos. Ik denk erover om op te staan en weer naar het feest te gaan om papa en mama te zoeken, maar ik durf niet zo goed. Hoe later de avond, hoe meer gezoen, dat weet ik heus wel. Een keertje bij ons thuis zaten er zelfs twee in de badkamer. Ze deden niet open, terwijl ik echt heel nodig moest plassen. En maar giechel- en smakgeluiden maken daarbinnen. Later was de wc-borstel gebroken, die hadden ze waarschijnlijk omvergegooid met al hun gedoe. Die wc-borstel paste precies bij het zeepbakje en het prullenbakje – en toen moesten we een andere kopen die veel lelijker was.

Misschien zit papa nog wel bij dat stomme vegetarische schaap. En mama? Is die nog steeds met die vrouw over vrijheid aan het praten?

Ik moet een beetje huilen en ik wacht. En wacht.

En dan, net als ik toch even in slaap ben gevallen, zijn daar eindelijk de grote armen van papa.

– Papa, mama huilt! –

Die maandag op school loop ik meteen naar Annabel en Sandra. Bas en Martijn zijn ook aardig, maar die lezen de krant in plaats van boeken en ze houden van dingen als gierst – dat is een soort eetbaar grind. Annabel en Sandra eten tenminste gewone dingen.

'Gaan jullie volgend weekend met me mee naar de woongroep?' vraag ik.

'Ga je dan eindelijk verhuizen?' vraagt Annabel.

'Nee, er moeten nog een paar dingen geschilderd. En eerst gaan we met z'n allen tekeningen maken,' leg ik uit. Papa heeft me vanmorgen verteld over wat hij 'onze groepskunst' noemt.

'Leuk,' zegt Sandra. Maar Annabel vraagt waarom.

'Omdat de muren in de feestruimte nu nog heel saai zijn. We gaan mooie schilderijen maken en jullie mogen ook meedoen.'

'Oké,' zegt Annabel. 'Dat vindt mijn moeder vast ook goed,

want ik mag niet meer naar het winkelcentrum.'

Ik schrik. 'Waarom niet?'

Annabel haalt haar schouders op.

'Weet ze het... van het pikken?'

'Ze stelt wel steeds van die vragen. Waar heb je dat boek vandaan, Annabel? Hoe kom je aan dat snoep, Annabel? Wat moeten jullie toch steeds in dat winkelcentrum, Annabel?'

36

'Mijn vader begon er ook al over,' zegt Sandra.

'Waar bemoeien ze zich mee?' zeg ik knorrig. Maar ik ben best geschrokken. Als we stoppen met pikken, wil ik dat zelf beslissen. Bovendien, wat moeten we dan gaan doen? Ik moet snel andere plannetjes voor ons verzinnen.

'Mag ik ook mee tekenen dit weekend?' vraagt Sandra lief.

Ik knik. 'Natuurlijk. Maar we gaan wel liefde en vrede tekenen.'

'Wát gaan we tekenen?' vraagt Annabel.

'Liefde en vrede. Zo heet het huis van de woongroep: het huis van liefde en vrede.'

'Het huis van liefde en vrede,' herhaalt Sandra. 'Mooie naam.'

'Dan ga ik een duif tekenen,' zegt Annabel. 'En voor liefde een heel groot hart.'

Het is al heel druk als Sandra en Annabel die zaterdag binnenkomen. Overal zitten mensen op de vloer met grote vellen papier voor zich.

'Waar kan ik...' begint Annabel hard.

'Sssst,' zeg ik. Je mag niet praten want er is muziek. Zachte, verdrietige muziek.

Annabel en Sandra gaan snel zitten.

'Open je hart,' zegt Tilly. Zij loopt als een soort tekenjuf rond.

Naast mij tekent Annabel onmiddellijk een hart met een luikje dat open staat. Sandra [illegible] alleen maar met haar [illegible] ogen naar Tilly te kijken.

Ik ga geen hart tekenen, dat is kinderachtig. Echte kunst ziet er slordiger uit. Ik ga best vaak met mijn ouders naar het museum en dit heb ik geleerd: als ik een schilderij echt heel stom vind, is het kunst.

'Wat vind jij mooi, Joni?' vraagt papa dan.

Ik zoek altijd het lelijkste schilderij uit, iets met veel krassen door elkaar.

En als ik het aanwijs, kijkt papa trots naar mama. 'Ze heeft echt smaak, die dochter van ons,' zegt hij.

En dan lopen we alledrie trots verder.

Ik denk dat liefde hemelsblauw is. Ik doe mijn ogen dicht en beweeg mijn kwast over het papier. Als ik weer kijk, zie ik dat ik een soort boom heb getekend.

Maar ik zie ook iets anders. Mama huilt. Pal boven haar vel papier, er komen kleine vlekjes op haar tekening. Ze had ook een boom getekend, net als ik, maar die valt nu helemaal uit elkaar.

'Mama?' fluister ik.

Ze schudt haar hoofd.

'Wat is er? Ben je ziek?'

Maar mama draait zich van me af en zegt niets.

Stilletjes sta ik op om papa te halen. Tilly kijkt verstoord op als ik tussen alle mensen door slalom.

Papa ligt languit op een grote berg kussens. Het lijkt alsof hij slaapt. Maar misschien luistert hij alleen naar de muziek.

Ik raak zijn arm aan. 'Papa, mama huilt.'

Papa opent verbaasd zijn ogen. 'Ja?'

'Mama huilt.'

Papa kijkt even naar mama, die helemaal in elkaar gedoken zit. 'Dat geeft toch niet, Joni,' zegt hij.

'Maar...' Dan staat Tilly daar ineens. Ze komt tussen papa en mij in hangen.

'Wat is er, Joni? Ga eens terug naar je plaats,' zegt ze zacht.

'Maar mama huilt.'

'Er is niks mis met tranen,' zegt papa. 'Ook niet voor grote mensen. Ga jij nu maar lekker tekenen.' Hij aait me over mijn haar en geeft me een zetje. Met slome stappen ga ik weer naar mijn plek. Tilly loopt met me mee – alsof ze bang is dat ik niet braaf terugga in mijn eentje. Ze legt even haar hand op mama's rug. Mama krimpt in elkaar en Tilly trekt snel haar hand terug.

Naast mij heeft Sandra een blauwe engel getekend. Dat heeft ze van mij, precies dezelfde kleur blauw.

'Wat is er met je moeder?' fluistert ze.

'Niks.'

Even later doet mama gewoon mee als we de tekeningen gaan bespreken. Ze praat een beetje zacht, maar dat doet ze wel vaker als er veel mensen bij zijn.

Tilly vertelt over de tekeningen en zegt dat we er één groot kunstwerk van gaan maken. Een hele muur van de woongroep wordt een muur van liefde en vrede.

'Deze is prachtig,' zegt Tilly en ze houdt Sandra's engel omhoog. Ik wil dat ze ook iets over mijn tekening zegt, maar dat doet ze niet. Sandra kijkt irritant schattig rond.

Algauw begint iedereen te praten en elkaars tekening te bewonderen. Ze liggen allemaal bij elkaar op de grond om te drogen. Tilly staat in het middelpunt. Haar wangen zijn rood.

'Kom,' zegt mama heel gewoon tegen mij. 'Roep jij papa even. We moeten nog langs het winkelcentrum.'

Als zij niet over dat huilen begint, doe ik het zeker niet. Ik zeg: 'Mag ik een lekkerbekje? Het is zaterdag.'

'Vraag maar aan je vader,' zegt ze en dat betekent ja.

'Ik haal hem wel,' zeg ik. Ik loop snel naar papa toe. Maar dan blijf ik plotseling staan. Want ik zie hoe papa en Tilly naar elkaar kijken. En ik weet het zeker: daar klopt iets niet. Ze kijken alsof ze samenzweerders zijn, alsof ze een geheimpje hebben.

En dat vind ik zooo stom! Ik kan niet tegen geheimen – en zeker niet als het om papa gaat. Woest word ik daarvan! En zeker nu: net zat mama nog te huilen – en zij lachen gewoon. Wat ontzettend gemeen!

Tilly is het ergst. Ze staat maar dom te lachen met haar mond te wijd open. Ik tril helemaal van boosheid, ik wil dat ze ophoudt, nu!

Snel kijk ik om me heen. De tekeningen! Dat is Tilly's trots, haar 'cadeautje voor de woongroep' zoals papa vanmorgen nog zei.

'Joni?' zegt iemand, maar ik luister niet.

Want daar ga ik: met reuzenstappen over alle tekeningen naar papa toe. De velletjes lagen op keurige rijtjes, ik schop ze alle kanten op. De verf is nog nat, lekker! Bomen en engelen en zonnen en heel veel geel en rood. Maar nu niet meer! Het papier verfrommelt en wordt bruin en lelijk onder mijn schoenzolen, als kranten in de kattenbak.

'Joni, pas op!' Martijn loopt met een kan water in zijn hand. Hij probeert me tegen te houden, maar ik geef hem juist een duw. Klabeng! Daar valt het water over die stomme tekeningen. Iemand gilt. Verf loopt uit. Een tekening met een regenboog erop wordt een bruine brij, een andere scheurt. En overal doorheen zie je heel duidelijk mijn voetstappen in de verf.

'Papa, je moet meekomen.' Ik sleur hem aan zijn arm en trek ondertussen nog een paar tekeningen aan flarden met mijn voet.

Maar papa is sterker. 'Joni, ben je betoeterd!' roept hij hard, terwijl hij me wegduwt.

'Maar je moet meekomen!' schreeuw ik. 'We gaan lekkerbekjes eten.' Dat klinkt een beetje raar, maar ik kan nu niet meer stoppen. Martijn en ook Annabel staan me met grote ogen aan te kijken.

Tilly stort zich naar voren en begint zenuwachtig met zakdoekjes de uitgelopen tekeningen te deppen. Iemand komt haar te hulp. Het is Sandra, zie ik, wat een verrader!

En dan komt mama eraan. 'Joni!' Ze kijkt boos.

De tranen springen in mijn ogen. Ik doe dit voor haar, waarom snapt ze dat niet?

Maar nu zijn ze dus allemaal tegen me, zelfs Sandra en Annabel. Iedereen probeert de tekeningen te redden en zegt 'o, wat erg'.

Woedend loop ik weg. Buiten ga ik in de auto zitten wachten. Ik denk dat Sandra en Annabel zo wel zullen komen, maar dat gebeurt niet. Dat vind ik zó gemeen! Op tv gebeurt het nooit, dat één iemand van een team door de anderen in de steek gelaten wordt, nooit!

– Ik moet je wat vertellen, mama –

Uiteindelijk komt mama, zonder papa. Ook erg, denk ik, nu is papa juist niet mee. Dankzij mijn actie.

Zwijgend start mama de auto. Ze vraagt niet eens: wat was dat nou, Joni? Waarom deed je dat? Waarom maakte je die tekeningen kapot?

Ik word gek van die stilte. 'Waar is Annabel?' vraag ik.

'Naar huis,' zegt ze kort.

'En papa?'

'Nog steeds aan het opruimen. Ze gaan met een klein groepje nieuwe tekeningen maken.'

'Die stomme Tilly zeker ook?'

Mama geeft geen antwoord en ik zeg: 'Weet je dat zij en papa...'

Mama trekt aan de versnellingspook en er klinkt een gierend geluid. 'Ik heb hier geen zin in, Joni,' zegt ze moe.

Ik zwijg even en dan zeg ik: 'Krijg ik nu wel een lekkerbekje?'

Stilte.

En omdat ik nu toch al huil, besluit ik om ook het pikken op te biechten.

Dat is toch niet meer leuk, het is eigenlijk een beetje saai geworden. Steeds hetzelfde. En bovendien duurt het niet lang meer of de ouders van Annabel komen erachter. Dat kan ik beter voor zijn.

‘Mama?’ snuf ik. ‘Ik moet je wat vertellen.’

‘Hm?’ zegt mama. Ze draait het parkeerterrein van het winkelcentrum op.

‘Ik heb de laatste tijd een paar spullen gepikt,’ zeg ik snel. ‘Samen met Annabel en Sandra.’

‘Wat?’ Ze draait de motor uit.

‘En die spullen, die liggen nu allemaal onder de losse plank bij mijn bed,’ zeg ik. ‘Ik heb er heel veel spijt van, mama.’ Ik huil nu echt.

‘Wat voor spullen?’ vraagt mama rustig.

‘Nou, snoep, pennen, schriften en boeken en...’

‘Boeken?!’

‘Ja, een paar. En nog wat dingetjes.’ Ik haal diep adem. Het ergste is voorbij.

‘Wanneer is dit allemaal gebeurd?’ vraagt mama.

‘Gewoon na school, als we naar het winkelcentrum gingen. Maar Annabel en Sandra deden er dus ook aan mee. Het was hun idee eigenlijk.’ Dat laatste valt zomaar uit mijn mond.

Mama kijkt nog steeds naar het stuur van de auto. Ze spreidt haar vingers, die gehuld zijn in bruine autohandschoenen, en buigt ze dan weer. Spreidt en buigt, spreidt en buigt – alsof ze test hoe soepel het leer van die handschoenen is.

‘Mama? Het spijt me.’

Mama schrikt op. Ze kijkt even naar me en dan doet ze de deur van de auto open. ‘Lekkerbekjes,’ zegt ze.

‘Mama? Heb je wel gehoord wat ik zei?’

‘Ja Joni,’ zegt ze toonloos. ‘Ik weet het niet zo goed... Ik moet hier even over nadenken.’

En dan gaan we boodschappen doen en we hebben het er niet meer over. Ik voel me best dapper. Ik heb het opgebiecht – en mama is niet eens boos.

Als ik de dag erna thuiskom uit school zijn al mijn gepikte spulletjes verdwenen. Het gat onder mijn bed is leeg, alsof er nooit iets is gebeurd. Mama zegt er niks over, net of ze het alweer is vergeten. Ze zit op haar knieën voor het aquarium en praat met de schildpadden. Mijn moeder kan dat, met schildpadden praten. En het rare is: ze geven nog antwoord ook. Hele zachte piepgeluidjes, alleen tegen haar.

Ik loop zachtjes naar boven. Op mijn kamer vind ik in de prullenbak mijn paardenboek terug, helemaal in stukjes gescheurd. Dat vind ik echt heel raar. Wie verscheurt er nou een boek?!

– Zullen we in het water vallen? –

'Ik verveel me,' zegt Annabel.

Sandra, Annabel en ik zitten bij Sandra in de flat. Haar moeder is een boodschapje doen, maar wij durven niet mee. 'Het winkelcentrum is een tijdje verboden terrein voor jullie,' heeft de moeder van Annabel gezegd.

Annabel heeft het ook opgebiecht, van het pikken.

Of eigenlijk heeft ze zich gewoon dom versproken. We stonden in de tuin en er hingen allemaal lakens aan de waslijn te wapperen. Toen zei Annabel: 'Dat portemonneetje dat ik laatst had gepikt, weet je wel dat rode, ik heb tegen mijn moeder gezegd dat ik dat ook van jou heb gekregen.'

Dat had ze al eerder gezegd, dus ik gaf geen antwoord.

Maar op hetzelfde moment kwam haar moeder tevoorschijn aan de andere kant van de lakens, met een teil met natte was in haar hand, en ze zei dreigend: 'Annabel! Wat hoor ik daar?'

Annabel werd zo paars als een druif en ik schrok ook ontzettend. Hoewel iedereen zei dat de lente was begonnen, voelde het alsof de ijskoningin zelf naar mij keek. Zo streng is die moeder van Annabel!

'Ga jij maar naar huis,' zei de ijskoningin tegen mij. 'Nu!'

Annabel mag dus niet meer naar het winkelcentrum. En ze krijgt heel lang geen zakgeld – om alles terug te betalen.

Alleen bij Sandra weten ze het nog niet, maar Sandra zegt: 'Mijn vader vermoordt me.' Dus daarom hebben we het er niet meer over. Niet nog een ouder achter de lakens!

'Ik verveel me,' zegt Annabel weer. Ze zit op het bed en kijkt een beetje boos. Sinds ik die tekeningen heb vernield wil ze niet meer mee naar de woongroep. Is ze mijn vriendin nog wel?

Ik loop naar het raam en kijk naar beneden. Sandra woont op de veertiende verdieping, dat is best hoog. Je kunt heel ver kijken.

'Zullen we tekenen?' vraagt Sandra.

'Nee,' zeggen Annabel en ik tegelijk.

'Zullen we dan een voorstelling maken?' vraagt Sandra. Daarmee bedoelt ze dat we samen liedjes gaan zingen van de musicalclub. Dat is helemaal niet leuk, want Sandra zingt toch het mooist van iedereen, net een engeltje. Laatst bij de weeksluiting op school had ze nog heel veel succes met *Ik zing lalalalala ik ben zo blij*.

'Ik heb geen zin in zingen,' zegt Annabel gelukkig.

Ik kijk naar beneden. Alles is met een liniaal getekend, lijkt het wel. Wegen, zebrapaden, fietspaden, de witte lijnen erop. Zelfs het gras is overal even lang en zeker niet te hoog. Een teckel zou zich er niet in kunnen verstoppen, elke hondendrol valt op. Die moet je dan ook onmiddellijk opscheppen en meenemen in een hondendrollenzakje. Zelfs het water is keurig: een kaarsrechte rivier die nooit overstroomt: de Amerikavaart.

'Zullen we in het water vallen?' vraag ik.

'Wat?' Annabel komt naast me staan.

'Net als...' Ik probeer te bedenken in welk boek de kinderen per ongeluk in het water vallen. Misschien *De dolle tweeling*? 'Dat is toch grappig? Als zomaar je kleren en alles nat zijn...'

Sandra kijkt moeilijk, maar Annabel vraagt: 'Hoe dan?'

'Gewoon, vanaf de kant in de Amerikavaart springen.' Ik wijs omlaag. 'Tegelijk. En dan doen we alsof we erin gevallen zijn.'

Sandra kijkt me met grote ogen aan. 'Denk je dat ze dat geloven?'

'Tuurlijk, zeker van jou.' Laatst bij de weeksluiting had zelfs meester Sjef tranen in zijn ogen om Sandra.

'Alle grote mensen vinden jou altijd schattig.'

'Ze zijn ook altijd zo *geschrokken* als ik een keertje iets stouts doe,' zucht Sandra.

'Kom mee dan,' zeg ik.

We gaan met de lift naar beneden.

Maar in mijn buik gaan de kriebels juist omhoog, als colabubbels. Dit is wel even iets anders dan afzwemmen met kleren! Dit is het echte werk.

We lopen naar de vaart toe. 'Waar gaan we erin?' vraagt Annabel.

Het water is wel een beetje dieper dan ik dacht. 'Eh...'

'Bij het bruggetje?' vraagt Sandra.

'Nee, niet bij het bruggetje. Dat is niet echt, wie valt er nou van een bruggetje.'

We lopen iets verder en de kriebel in mijn buik gaat een beetje weg. Het is eigenlijk maar een saai bruin slootje, die Amerikavaart. En vies, het water is helemaal bruinig. Ik denk aan wat Jacco laatst zei: 'Het hele riool van Buitenwijk komt uit in de Amerikavaart.' En mijn moeder zegt vaak dat de Amerikavaart heel Buitenwijk verpest. 'Dat stinkwater,' zegt ze als ze me bij Sandra komt ophalen.

Eén keer vroeg ik: 'Kan je het drinken?'

'Nee, zeker niet. Dan word je heel ziek.'

'Weet je,' zeg ik langzaam en de kriebel in mijn buik komt weer een beetje terug, 'we moeten eigenlijk onder water een grote slok nemen. En dan heel hard schreeuwen als we boven komen.'

'Waarom?' vraagt Sandra.

'Dan lijkt het echter,' zeg ik.

'Neem jij ook een slok?' vraagt Sandra.

'Tuurlijk. Dat hoort erbij.' Maar ik denk aan wat mijn moeder heeft gezegd. Ik heb geen zin om heel ziek te worden.

Ik loop naar voren. Hier is een soort steiger.

'En nu?' vraagt Sandra.

Ik pak haar hand vast en die van Annabel ook. 'Nu gaan we springen. Als die meneer weg is.'

We wachten tot een man met zijn hond voorbij is gelopen. Hij kijkt niet naar ons, hij kijkt naar zijn eigen voeten.

'We moeten dus ook heel hard schreeuwen,' zeg ik. 'Dan weten de mensen dat er drie kinderen in het water zijn gevallen.'

De man met de hond gaat de hoek om.

'Ben jij nooit bang?' vraagt Sandra.

'Drie twee een, een half... nu!' zeg ik.

Ik neem een reuzensprong en sleur ze allebei met me mee.

Het water is koud en we gaan helemaal kopje onder. De bodem komt sneller dan ik dacht.

En dan zijn we alweer boven. We snakken naar adem. Nu weet ik eindelijk hoe dat voelt: naar adem snakken.

Sandra is als eerste op de kant gekrabbeld. Ik klim achter haar aan. Mijn kleren plakken vies tegen me aan. Sandra hoest en spuugt water op de grond.

Dan horen we ineens een keihard gebrul. Annabel komt boven en klautert ook op de kant. Ik weet dat ik had gezegd dat we hard zouden schreeuwen, maar dit is overdreven.

'Wat is er met haar?' vraagt Sandra. Er gaat een schok door haar heen. 'O nee, bloed!'

Nu zie ik het ook. Annabels maillot is gescheurd en haar been zit onder het bloed. Het loopt over haar sandaal heen op de grond, in het gras. Zoveel bloed!

'Annabel?' zegt Sandra.

Maar Annabel blijft maar gillen. Zo hard, het lijkt wel een brullende leeuw.

'Ze heeft zich natuurlijk geschaafd aan de stenen op de bodem,' zegt Sandra.

'We moeten hulp halen,' zeg ik. Ik kijk om me heen. Zo'n enorme flat – daar moeten zeker duizend mensen in zitten.

Ik zie geloof ik ook wel wat nieuwsgierige hoofden voor de ramen.

'Help!' roep ik. 'HELP!'

Maar er komt niemand! Zoiets engs heb ik nog nooit meegemaakt. De flat is een machtige muur, ondoordringbaar als een gevangenis. Ik schreeuw en Annabel huilt en druipt bloed – en er komt niemand helpen...

'Help!' schreeuw ik. 'Help! Ze bloedt dood.'

'Misschien moeten we gewoon ergens aanbellen,' zegt Sandra zenuwachtig.

'Maar ik kan niet lopen,' huilt Annabel. Toch strompelt ze achter mij en Sandra aan. Ze maakt een bloedspoor in het gras.

Snel drukt Sandra op alle bellen van de flat. 'We hebben hulp nodig, er is iemand gewond,' zegt ze. Ik hoor een heleboel mensen tegelijk kletsen door de intercom. En ondertussen brult Annabel er keihard doorheen.

Dan, eindelijk, gaat een deur open en staat daar een vrouw met een wit koffertje. 'Ik heb vorige week mijn EHBO-diploma gehaald,' zegt ze trots. Ze legt een plastic tafelkleed op de grond. 'Hier moet je op liggen,' zegt ze tegen Annabel. 'Op je zij. Ben je misselijk?'

'We zijn in de Amerikavaart gevallen,' zeg ik.

'Oei,' zegt de vrouw. 'Wat zullen jullie geschrokken zijn.'

Sandra en ik knikken hard.

De vrouw scheurt de maillot van Annabel helemaal los en begint met een dikke wat over de knie te wrijven. Annabel gilt het uit en de vrouw stopt meteen. 'Misschien moet je toch even naar de dokter,' zegt ze.

'Mijn vader is dokter,' zeg ik.

De vrouw knikt. 'Dan gaan we hem bellen. En jouw ouders?' Ze kijkt naar Sandra.

'Niet mijn vader,' zegt Sandra en ze kijkt ineens heel bang.

Terwijl de vrouw belt, blijven er steeds meer mensen staan. Nu wel. Ik snap niet waar ze allemaal vandaan komen. Ze kijken met grote ogen naar Annabel die daar nog steeds ligt te bloeden op het tafelkleed. Misschien bloedt ze wel dood. Iemand slaat een deken om mijn schouders. Ik voel nu pas hoe koud het is met die natte kleren aan.

Een meisje heeft een zak vol snoep. 'Wat een bloed,' zegt ze. Haar adem ruikt naar kersenlolly.

'We zijn in het water gevallen,' zeg ik.

Het meisje geeft me zomaar haar hele snoepzakje. 'Voor jou,' zegt ze lief. Ik neem meteen een dropsleutel en het helpt echt.

En dan is daar gelukkig ook mama, met de auto.

'Mama,' jammer ik met mijn mond vol drop. Ik ben zo blij dat ik haar zie. Ze heeft zelfs haar pantoffels nog aan.

Maar mama kijkt niet eens naar me. Ze hijst Annabel overeind van het zeiltje en zegt: 'Hup, in de auto.'

Ik moet op de achterbank zitten en ze gooit mijn snoep in het gras. Niet eens in de prullenbak, gewoon op de grond met papier en al! En ze is ook al niet aardig voor de EHBO-mevrouw.

'Mama?'

Keihard rijdt ze weg. Het laatste wat ik zie, zijn de grote, wijd opengesperde ogen van Sandra.

– Het was Sandra's idee –

Ik zit op de bank in mijn pyjama. Mama is met Annabel naar het ziekenhuis, want de wond was te groot voor papa. Ik wilde mee, maar dat mocht niet. 'Je stinkt een uur in de wind,' zei mama. Ze heeft me voor de deur van ons huis uit de auto gezet. Zomaar, ze ging niet eens even mee naar binnen. Toen ben ik maar alleen gaan douchen. Ik heb mijn haren gewassen, maar ik ruik nog steeds die vieze Amerikavaart. Ik ga nooit meer in het water vallen!

Ik heb honger en ik voel me alleen. Had ik dat zakje met snoep nog maar.

'Mama...' fluister ik.

Wat doen ze nu met Annabel? Er was echt veel bloed, ook in de auto.

In de keuken vind ik een rol koekjes, die eet ik op.

Eindelijk hoor ik de auto. Gauw gooi ik het papier van de koekjes weg.

Als papa en mama binnenkomen zit ik alweer. Mama begint de lampjes aan te doen.

'Waar is Annabel?' vraag ik bang.

'Thuis, bij haar ouders,' zegt papa vriendelijk. 'De wond is goed gehecht. Nu maar hopen dat er geen infectie bijkomt.'

'Wat voor infectie?' vraag ik.

Dan zegt mama, met een enge lage stem: 'Dat kan natuurlijk nooit hè, met zijn drieën zomaar in de Amerikavaart vallen.'

Ik bijt op mijn lip. 'Nee,' zucht ik. En dan floept het zomaar uit mijn mond: 'Sandra wilde weten hoe dat was: in het water vallen. Het spijt me mama, het spijt me heel erg.'

'Je kunt doodziek worden van dat water,' zegt mama.

Ik voel mijn hart tekeergaan. 'Gaat Annabel nu dood?'

Papa komt bij me zitten. 'Nee, dat niet. Maar ze kan er een lelijke wond aan overhouden.'

'Hoe lelijk?'

Papa schudt zijn hoofd. 'Waarom hebben jullie dat gedaan, Joni?' vraagt hij. Zijn stem is nog steeds vriendelijk.

Mama doet de gordijnen dicht. Ik ben banger voor haar dan voor papa. Haar rug ziet er hard uit.

'Sandra wilde weten hoe het was om in het water te vallen,' zeg ik nog een keer. Mijn stem klinkt zwak.

'En jij?' vraagt papa.

Ik haal mijn schouders op.

Papa en mama denken dat ik enorm slim ben, niet zo'n kind dat mislukte dingen verzint als in de Amerikavaart vallen. Vooral papa zou echt teleurgesteld zijn als hij dat wist. Net zoals die keer met een puzzelspel dat Tangram heet. Ik legde de een moeilijke figuur na de andere. 'Zie je dat?' zei papa tegen mama. 'Onze dochter heeft echt talent, misschien wordt ze wel een soort kunstenaar.' Maar toen zag hij dus een keer dat ik voorbeeldjes had en zei hij 'o' op zo'n treurige manier. Toen schaamde ik me heel erg.

'Joni?' vraagt papa. Ik durf hem niet aan te kijken.

Dan gaat de telefoon. We schrikken alledrie van het harde geluid.

Het is de vader van Sandra en hij vraagt naar mij.

'Wat is dat nou voor iets raars?' vraagt hij met zijn griezeligste stem. 'Je valt toch niet zomaar met z'n allen in het water?'

'Wat heeft Sandra gezegd?' vraag ik.

'Ha!' zegt de vader van Sandra. 'Dat zou je wel willen weten, hè? Maar dat zeg ik je niet. Nee, ik wil van jou weten: wat is er gebeurd?'

'Nou,' begin ik. Ik voel papa en mama naar me kijken. 'Het was dus Sandra's idee...'

De vader van Sandra maakt een raar geluid. 'O ja?' zegt hij.

'Ze wilde weten hoe het was om in het water te vallen,' fluister ik. Ik vind het wel heel naar voor Sandra, maar ik kan echt niet anders. Ik ben doodsbang voor die vader – ook al had hij honderd medailles en vindt de halve wereld hem een held.

'Ik denk niet dat jullie elkaar voorlopig moeten zien,' zegt hij aan het eind van mijn verhaal.

'Maar...'

'Er zijn ook andere vriendinnen op de wereld.'

'Maar...'

'Nog één dingetje. Ben jij ook ziek?'

'Wat?' zeg ik.

'Misselijk. Overgeven. Ziek van dat smerige water.'

Dus dat gebeurt er als je van dat water drinkt! 'Nee,' zeg ik, 'misschien komt het nog.'

Als ik de telefoon heb neergelegd, begint papa een verhaal te vertellen. Vroeger als klein jongetje heeft hij wel eens een buurmeisje onder water geduwd om te kijken wat er gebeurde. Ze was bijna verdronken.

Ik snap niet zo goed waarom papa dat vertelt en ik vind het

een stom verhaal. Mijn vader moet geen meisjes onder water duwen, dat is eng.

In ieder geval krijg ik geen straf, dat scheelt weer. Het ergste is dat Sandra's vader mij geen goede vriendin vindt.

Zes dingen waar ik bang voor ben

In mijn bed voel ik het nog steeds. Dat donkere, ondoorzichtige water om me heen. Hoe koud het was. Ik ril, nu pas ril ik.

'Ben jij nooit bang?' vroeg Sandra, vlak voor we het water in sprongen.

Natuurlijk ben ik wel eens bang.

Maar niet voor water, eerder voor vuur. Vuur is altijd eng. Vuur en brand. Ik schrik altijd als ik een brandweerauto voorbij zie rijden. Dan denk ik: ze zijn toch niet op weg naar ons huis? Soms zie ik dan in mijn gedachten de vlammen uit de muren slaan. Of ik zie mijzelf in bed liggen terwijl het vuur bulderend binnenkomt. Vuur dat alles verwoest.

Soms ben ik ook bang dat papa niet thuiskomt. Dan denk ik dat hij mama en mij niet meer leuk vindt.

En ik ben bang dat ik de leuke dingen mis. Zoiets als dat niemand je heeft verteld dat er kermis was en dat ie dan alweer voorbij is. Of dat je doodgaat en denkt: dat was het alweer.

Vroeger was ik altijd bang dat de wc overstroomde en dat ik dan een soort tsunami van poep over me heen kreeg. En stiekem, als het kan, doe ik nog steeds het liefst eerst de wc-deur op een kiertje en trek dan pas door.

Ik ben ook best vaak stiekem bang op school: dat ze allemaal tegelijk naar me kijken van opzij. Dat iemand zegt: 'Jezus, wat een neus.' En dat dan iedereen hard gaat lachen. Dat is een beetje als het sprookje van de nieuwe kleren van de keizer. De keizer doet of hij mooie kleren aan heeft, maar eigenlijk is hij naakt en lelijk. Dat gaat goed, totdat één jongetje begint te lachen. En dan staat die keizer enorm voor paal. Dat wil ik niet, nooit! Daarom zorg ik dat mijn haar altijd een beetje voor mijn gezicht valt. Voor de zekerheid.

Maar het allerbangste ben ik voor het zwarte gat van de

nacht. Je ligt in je bed en het trekt aan je, heel hard. En je weet: het gaat me opzuigen en pas uren later weer vrijlaten, net een draaikolk. Je wilt wakker blijven, niet zomaar verdwijnen, maar het zwarte gat wint toch. En altijd sta je er alleen voor.

Vannacht is zo'n nacht. Ik durf echt niet te gaan slapen. Ik zit rechtop in bed, mijn ogen wijd open en wacht op het eerste licht.

Een washandje op een bloedlip

Annabel heeft een dik verband om haar knie. Ze staat op het schoolplein met een grote kring kinderen om haar heen.

'En een prik,' hoor ik haar zeggen. 'Twee zelfs. En die laatste deed toch pijn...'

Nu ziet ze mij.

'Hoi Annabel,' zeg ik, maar ze zegt niks terug. Haar gezicht staat op woedend.

Ik kijk om me heen naar Sandra, maar als die me ziet krimpt ze ineen als een hond die bang is geschopt te worden. Zou haar vader echt tegen haar gezegd hebben dat ze niet meer met mij mag spelen?

Eerst denk ik dat het wel overgaat. Maar het duurt de hele ochtend. Annabel blijft boos en Sandra zegt ook al niks tegen me. In de pauze sta ik alleen. Ik heb het gevoel dat iedereen naar me kijkt, vooral naar mijn neus. Dat ze denken: daar gaat Joni en niemand wil met haar spelen. Van ellende weet ik zelfs niet meer hoe je normaal over het schoolplein moet lopen. Eerst stop ik mijn handen in mijn zakken maar dat voelt raar. Mijn armen op mijn rug: nog raarder. Uiteindelijk laat ik mijn armen los zwiepen. Zie ik er nou niet uit als een aap? En hoe kan ik mijn handen houden? Wat staat beter, vuisten of vingers los?

Uiteindelijk ga ik onhandig in een hoekje bij het klimrek zitten, precies zo dat niemand me van opzij ziet. Recht voor me, maar dan ver weg, zit Annabel op het meestersbankje. Dat mag omdat ze pijn heeft aan haar knie. Sandra staat erbij als een lijfwacht. Ze kijken allebei expres niet naar mij. Dat vind ik echt gemeen. Natuurlijk is het erg dat Annabels knie gehecht is, maar daar kan ik toch niks aan doen? Ze is zelf in dat water gesprongen.

Is er altijd zoveel lawaai in de pauze? Gillende meisjes, brullende kleuters, schreeuwende meesters. Jongens in voetbalshirts vechten elkaar uit het klimrek. Ik zie Jacco heen en weer rennen over het schoolplein. Die is natuurlijk op zoek naar kinderen om te pakken. Wie zou er vandaag aan de beurt zijn?

Ineens blijft Jacco staan. En hij kijkt naar mij! Ik krijg een elektrische schok door mijn hele lijf. Zelfs mijn haar gaat een beetje rechtop staan, lijkt het. Jacco en ik kijken elkaar recht aan, dat duurt heel kort en heel lang tegelijk.

En dan… pakt Jacco mij.

Ik gil heel hard.

Jacco hijgt, hij lacht en roept: 'Meekomen jij!' En dan zwermen ook zijn vrienden om ons heen en word ik afgevoerd. Ik lach een beetje en roep: 'Help, Annabel!' naar de meestersbank. Maar ik roep het niet erg hard.

Ineens zijn we achter de school. Jacco houdt me nog steeds vast in een soort houdgreep. Wat nu?

'Haar schoenen,' roept Jacco en zijn vrienden beginnen aan mijn sandalen te trekken. Hop, daar schiet de ene uit. En de andere. Nu zijn mijn sokken aan de beurt.

'Help,' roep ik. Er komen steeds meer kinderen aan. Ik zie nu ook Annabel en Sandra. Ze kijken alsof ze in Artis zijn en de leeuwen gevoerd worden: walgend en geïnteresseerd tegelijk. Maar ze doen niks.

Ondertussen heeft Jacco mijn jas te pakken. Terwijl hij mij met zijn ene hand vasthoudt, trekt hij aan mijn mouw. Even later ligt ook mijn jas op de grond.

En ineens weet ik het. Wat ze gaan doen. Mijn jas en schoenen zijn nog maar het begin. Ze gaan me uitkleden! Jacco zit al met zijn vingers aan mijn riem.

Maar dát mag niet! In mij komt een soort reuzengorilla omhoog en die reuzengorilla denkt maar één woord. NEE!

En ik begin te vechten. Dit niet, denk ik en ik krab heel hard. Dat ook niet, en ik schop en trappel met allebei mijn benen

De kinderen beginnen te joelen. Annabel hobbelt weg, zie ik

uit mijn ooghoek. Dus die laat me gewoon in de steek.

Alles is veranderd, want nu rollen Jacco en ik samen door het zand. Alle kinderen staan eromheen en roepen en kijken. Ik trek aan Jacco's haar – keihard – en hij duwt me omlaag. Ik proef iets ijzerigs, is dat bloed? We hijgen allebei.

Ineens stuiven alle kinderen opzij. 'Meester Frans!' roept iemand. Jacco laat mij snel los en springt overeind.

'Wat is dit nu?' Meester Frans kijkt van mij naar Jacco. Annabel staat naast hem.

Ik kijk ook naar Jacco. Hij strijkt zijn zwarte, steile haar van zijn voorhoofd en lacht naar de meester.

'Joni?' zegt meester Frans.

Ik zeg niks.

'Nou, kom op,' zegt meester Frans. 'Er moet toch wel een reden zijn voor dit... geweld?'

Jacco en ik kijken elkaar aan. Jacco lacht naar me. En dan... moet ik ook lachen.

Meester Frans zucht. 'Nou, dat is fraai,' zegt hij.

Maar ik ben alleen maar blij. Dat het niet gelukt is. Dat ik niet midden in de kring van kinderen in mijn blootje heb moeten staan. Want als ik Jacco kan verslaan, kan ik alles aan. Zo sterk ben ik dus!

'Kom,' zegt meester Frans. 'We gaan een washandje op die bloedlip doen.'

Een bloedlip! Zo hard heb ik dus gevochten.

's Avonds ontdek ik dat er ook nog kauwgum in mijn haar is gekomen. Dat lag daar vast ergens op de grond.

'Hoe kan dat nou?' moppert mama.

Maar papa zegt: 'Zal ik je haar uitkammen, Joni?'

En dat doet hij. Eerst wast hij het met crèmespoeling. En dan ga ik voor de bank zitten, op een van de grote kussens en kamt papa mijn haar. Heel zachtjes, bijna haartje voor haartje. Het duurt de hele avond en het voelt zo lekker dat ik er duizelig van word.

– Wie zullen we vandaag kauwgum in zijn haar smeren? –

De volgende dag staat Annabel aan Sandra en Ouave te vertellen dat de dokters haar wond misschien weer gaan opensnijden. Ik ga er gewoon bij staan en ze praat rustig door.

Maar dan komt plotseling Jacco op ons af. Het wordt meteen stil. Volgens mij houdt iedereen zijn adem in.

Jacco kijkt me recht aan. Dan vraagt hij: 'Gaat het?' Heel gewoon, heel lief.

'Ik had kauwgum in mijn haar,' zeg ik. 'Mijn vader heeft er wel een uur aan zitten kammen.'

'Echt?' Jacco kijkt naar mijn haar. Het glanst van de crèmespoeling.

Dan lacht hij. 'Jij kan anders heel goed vechten,' zegt hij, 'voor een meisje.'

'Waarom zouden meisjes niet kunnen vechten?' zeg ik trots.

'Niet zo goed,' zegt Jacco.

'Ik wel,' zeg ik.

Annabel en Sandra kijken jaloers. Met hen heeft Jacco nog nooit zo lang gepraat. Met mij trouwens ook niet. Annabel steekt haar knie een beetje naar voren om haar verband te laten zien, maar Jacco reageert niet op haar.

Hij graait in de zak van zijn jas. 'Hier,' zegt hij. In zijn hand liggen twee dropjes en een tattookauwgum.

En in de pauze komt hij alweer naar me toe.

Eerst schrik ik. Hij gaat me toch niet weer pakken? Maar nee, daar loopt hij te rustig voor.

Recht voor me blijft hij staan. 'Wie zullen we vandaag kauwgum in zijn haar smeren?' vraagt hij.

Yes, denk ik. Ik ben een vriend van Jacco geworden.

'Eh... bij Angeline,' zeg ik. Angeline is niet alleen het liefste meisje van de klas, ze heeft ook heel lang, heel blond haar.

'Oké,' zegt Jacco en hij begint weg te lopen.

'Wacht!' roep ik. Jacco draait zich om.

'Hier.' Ik haal mijn kauwgum uit mijn mond en steek het Jacco toe.

Als hij het aanpakt en mijn spuug komt in zijn hand, voel ik een rare kriebel in mijn buik.

Jacco lacht. Dan rent hij weg met zijn vrienden.

'Arme Angeline,' zegt Annabel, maar het klinkt niet alsof ze het heel erg vindt.

'Zullen we achter de school gaan kijken?' vraag ik.

'Nee, dat vind ik eng,' zegt Sandra.

En Annabel heeft te veel pijn aan haar been.

Dus ga ik ook maar niet. Maar als Jacco later vraagt 'Waar was je?' heb ik wel spijt.

– En dan sluipen we weg als je ouders denken dat we slapen –

Ik weet al hoe Annabel en Sandra weer vriendinnen met me willen worden. Vannacht heb ik iets bedacht wat ze vast geweldig zullen vinden (en ikzelf ook): we gaan een nachtpicknick houden!

Dat heb ik gelezen in een boek van *De dolle tweeling*, over kinderen die op een kostschool zitten en dat is echt heel leuk. Soms houden ze nachtfeestjes. Dan nemen ze allemaal lekker eten mee en gaan middenin de nacht stiekem in de school zitten.

'Als jullie bij mij komen slapen, kunnen we dat ook doen,' zeg ik. 'Dan kopen we taartjes en snoep en...'

'Nee, dat is niet echt,' zegt Annabel. 'Het moet in de school.'

'Wat moet in de school?' vraagt Jacco, die toevallig net langsloopt.

'Een nachtfeestje,' zeg ik, want Annabel en Sandra zijn meteen hun tong verloren.

'Kan toch?' zegt Jacco. 'Mag ik ook komen?'

Annabel en Sandra beginnen te knikken, maar ik zeg: 'De school is 's nachts op slot.'

'O ja?' zegt Jacco. 'Niet voor mij.'

Ik staar hem aan. 'Dus jij zou zomaar...?'

Jacco knikt. 'Wanneer? Vanavond?'

Ik schrik er een beetje van, maar zo rustig mogelijk zeg ik: 'Hoe laat? Zeven uur?'

Jacco begint hard te lachen. 'En dat noem jij een nachtfeestje? Dan is het nog gewoon licht.'

'Elf uur,' zegt Annabel ineens hard. Sandra en ik kijken haar aan.

'Dan gaan Sandra en ik bij Joni logeren,' legt Annabel uit, 'en dan sluipen we weg als haar ouders denken dat we slapen.'

'Goed idee,' zegt Jacco en Annabel schudt trots met haar lange haren.

Ik ben best wel boos op haar. 'Maar mijn ouders gaan zelf pas veel later naar bed,' zeg ik. 'Mijn moeder komt me altijd nog even een kus geven voor ze zelf gaat slapen, hoe moet dat dan?'

'Daar verzinnen we wel wat op,' zegt Annabel en dan is het beslist. De rest van de dag voelt een beetje alsof ik bijna jarig ben. Nachtfeest op school... dat wordt spannend!

Mama betrapt me met een rol koekjes in de ene en een pak sap in de andere hand.

'We gaan een nachtfeestje doen,' zeg ik en dan lacht ze gelukkig. Als Sandra en Annabel binnenkomen, pakt ze zelfs nog wat chocola voor me.

'Maar mam,' zeg ik, 'ik doe wel de deur dicht. Je mag vanavond niet binnenkomen.'

'Snap ik,' zegt mama.

'Ook niet als jullie zelf gaan slapen.'

'Als je maar zachtjes doet, vind ik alles goed,' zegt ze.

Het is nog wel iets lastiger om ongemerkt weg te glippen om halfelf. De treden van de trap kraken keihard. Vanuit de kamer klinken gelukkig geluiden van de tv.

'Ik moet plassen,' fluistert Sandra. Zij is dubbel bang, want haar vader mag niet weten dat ze bij mij slaapt. Ze heeft gezegd dat ze naar Annabel ging.

'Plassen? Dat kan nu even niet, hoor.'

Het is heel eng als we alledrie in de hal staan. Als mama of papa nu naar de wc gaat, kunnen we ons nergens verstoppen.

'Laat mij die buitendeur maar opendoen,' fluister ik tegen Annabel. 'Het moet met een zwiep.'

We glippen de nacht in en ik doe de deur heel zacht achter me dicht. Heel even blijven we staan. We horen niks.

'Het is gelukt,' zegt Annabel, met grote glanzende ogen. Dan beginnen we te rennen, Annabel een beetje hinkend.

Als we bij de school aankomen, is Jacco er al. Hij is niet alleen. Er zijn een stuk of vijf jongens bij hem en ook...

'O nee, Katie!' fluistert Annabel.

Wij vinden Katie stom. Ze is van een andere school en we verdenken haar ervan dat ze met Jacco gaat. Ze heeft oranje lippenstift en ze rookt.

'Hai,' zegt ze tegen mij.

Als ze vraagt of ik ook een sigaret wil ga ik ja zeggen. Maar Katie vraagt niks en ze rookt haar sigaret helemaal zelf op.

'Kom,' zegt Jacco, 'achter de school is een raampje dat ik makkelijk open kan drukken.'

Hij gaat voorop en meteen daarna kom ik. Ik doe net of Katie er niet is.

'Daar,' zegt Jacco. Het is een klein raampje, maar het staat wel op een kier. Dat heeft hij goed gezien.

Het is raar om over het donkere schoolplein te lopen. Het is zo stil.

Jacco klimt omhoog en geeft een trap tegen het raampje. Het schiet meteen los en knalt naar binnen. Rinkeldekinkel! We schrikken er allemaal van.

'Oeps,' zegt Jacco. Hij lacht.

En dan lach ik ook. We lachen allemaal.

Het is trouwens wel makkelijk dat dat raampje stuk is, want nu kunnen we er goed doorheen klimmen.

In de school is het warm en stil. Het ruikt altijd een beetje naar verf en hout, en nu helemaal.

'Waarom is het licht aan?' vraagt Sandra.

Wel stom dat ze zo'n angstig stemmetje opzet. De vrienden van Jacco zijn helemaal niet bang, dat zie je zo.

'Dat is het nachtlicht,' zegt iemand.

'Zijn er echt geen juffen of meesters meer?' vraagt Sandra.

'Kijk maar!' Jacco gooit de deur van de lerarenkamer open. Totaal verlaten. Er liggen alleen nog een paar spulletjes: een tas, een pakje sigaretten, een kapot broodtrommeltje.

'Die pik ik in.' Katie heeft de sigaretten al te pakken.

'Wie wil er bonbons?' Jacco heeft de trommel opengemaakt waar alle traktaties van verjaardagen in zitten. Bonbons en reepjes chocola. Ik leg de koekjes en het sap op tafel en ons nachtfeest kan beginnen!

Het is alleen jammer dat ik zelf een beetje misselijk ben. Het is zo warm in die school, en ik ben steeds een beetje bang dat er toch iemand komt. Die vrienden van Jacco maken ook zoveel lawaai! Ze rennen in het rond en gooien met stiften naar elkaar. Ik wil met ze meedoen, maar ik durf niet goed.

Annabel en Sandra zitten intussen heel keurig aan tafel.

'Is er ook wat anders dan appelsap?' vraagt Annabel.

Ik gooi alle kastjes open, maar er is alleen een fles koffiemelk.

'Dat kan je ook drinken,' zegt Annabel. Ik schenk de kopjes vol.

In de verte hoor ik Jacco schreeuwen. 'Ik moet naar de wc,' zeg ik en loop weg.

Annabel en Sandra komen meteen achter mij aan.

De wc's zijn een beetje vies. Er ligt papier op de grond en aan één binnenkant kleeft diarree.

'Je kan net zo goed op de vloer poepen,' zeg ik.

Annabel kijkt me aan. 'Ga jij op de vloer poepen?'

En ineens vind ik dat een enorm grappig idee. Ik hurk naast de wc-pot en draai een mooie kleine drol. 'Kijk!' Annabel giechelt. Het ziet er vrolijk uit, zo'n poepje naast de wc. Alsof er een klein hondje voorbij is gekomen. Het papiertje gooi ik netjes in de wc.

'Jammer dat ik niet moet,' zegt Annabel.

Sandra komt erbij staan. Ze zegt niks, maar ze giechelt de hele tijd.

Op de gang zegt Annabel tegen Jacco: 'We hebben op de vloer gepoept.'

'Ik,' zeg ik. 'Ik heb dat gedaan.'

'Echt?' Jacco kijkt me met stralende ogen aan. 'Laat zien!'

In de wc horen we hem keihard lachen. 'Dat doe ik ook!'

Ondertussen zie ik dat het in onze klas een rommeltje is geworden. De werkjes liggen omgekeerd op een grote hoop. En op het bord staat met grote letters: *meester Frans heeft een stijve pik.*

Ineens roept er iemand: 'De bewakers! Wegwezen!' In de straat voor de school stopt een wit busje.

We rennen allemaal naar het kleine raampje. Iedereen duwt tegen iedereen, het is heel eng. Ik krijg een gevoel alsof ik stik en ik druk hard tegen de andere kinderen aan. Voor mij zit Katie. Ik ram op haar billen. 'Schiet op nou!' roep ik en ze valt naar buiten.

Iedereen die buiten is begint meteen te rennen. Ik wil ook, maar toch wacht ik op Annabel en Sandra. Zij zijn de laatsten. Jacco en de anderen zijn verdwenen.

'Mijn knie,' piept Annabel als ze eindelijk buiten staat. Als ze haar knie stoot, doet het pijn. Dat komt omdat er nu wild vlees groeit.

Sandra huilt bijna van angst als zij naar buiten klautert. 'Ik hoorde ze de deur openmaken.'

'Hebben ze je gezien?' vraag ik.

Ze schudt haar hoofd. 'Ik geloof het niet.'

'Kom,' zeg ik. 'Weg bij dit gebroken raam.'

'Maar het is wel gelukt.' Annabel lacht door haar tranen heen.

‘Zagen jullie wat ze op het bord hadden geschreven?’ vraagt Sandra.

Giechelend lopen we naar huis. Onderweg verzinnen we een liefdeslied voor Jacco dat heel, heel erg geheim is.

De volgende dag staat er een grote man met een fluwelen pak naast meester Frans. Dat is Sjef, het hoofd van de school. Ik ben altijd een beetje bang voor Sjef omdat hij zo groot is en je zo droevig aankijkt.

De klas ziet er weer keurig uit. De werkjes staan in de kast en het bord is schoon.

‘Jongens,’ zegt Sjef, ‘ze hebben vannacht ingebroken in de school.’

Het wordt meteen stil.

‘Niet dat er iets gestolen is,’ zegt Sjef met zijn trage stem, ‘maar er is een vreselijke troep gemaakt.’

‘Ik zie anders niks,’ zegt iemand.

‘Schoolmateriaal vernield, nare teksten op het bord,’ zegt Sjef.

‘Poep naast de wc,’ voegt meester Frans eraantoe. Ik voel allemaal kleine prikjes onder mijn oksels en op mijn rug. Het is erg warm ineens.

‘Niemand weet zeker wie dit heeft gedaan?’ vraagt Sjef, maar het is eigenlijk geen vraag.

Het blijft stil. Annabel en ik trekken geschrokken hoofden naar elkaar. ‘Ingebroken?’ zegt Annabel zelfs, met een lieve, verbaasde stem.

Sjef zucht. ‘Het kunnen ook grote jongens van een andere school zijn,’ zegt hij. ‘Dat denken we eigenlijk.’

Jacco schiet in de lach en meester Frans kijkt hem streng aan.

‘Jongens,’ zegt Sjef weer. ‘School moet nou eenmaal, daar kan ik ook niets aan doen. Maar meester Frans en ik doen ons uiterste best om het voor jullie zo fijn mogelijk te maken. Deze school is als een tweede huis voor jullie. Verpest het nou niet.’

Dan sloft hij weg.

In de pauze verstoppen Annabel, Sandra en ik ons in de wc zodat we niet naar buiten hoeven, want het is rotweer. Het ziet er allemaal keurig uit daarbinnen, alsof er niks is gebeurd. Bijna jammer.

Daarom kan ik het toch niet laten om weer even naast de wc te poepen. Deze keer doet Annabel met me mee en de rest van de dag hebben we de steeds maar de slappe lach. We kunnen gewoon niet ophouden.

'Gekke giebels,' lacht meester Frans met ons mee.

– *Wie wil er een teddybeer voor me winnen?* –

Er is kermis in het winkelcentrum.

Annabel en ik zijn al vaak gaan kijken. Steeds wordt er weer een stukje bij gebouwd. De botsauto's. Een reuzenrad. Een eng ding dat heel hard ronddraait als een wasmachine. Annabel en ik noemen het 'de kleef' omdat je er als een vlieg tegen de wand blijft plakken. Er is zelfs een echte achtbaan.

'Je mag kiezen,' zegt papa. 'Met ons mee, of met een vriendin. Als je met ons meegaat, mag je overal in. Als je met een vriendin gaat, krijg je een maand extra zakgeld – maar daar moet je dan alles van doen.'

'Met een vriendin,' zeg ik.

Ik zie dat mama dat wel jammer vindt.

Op school vertel ik het aan iedereen. Annabel zegt dat ze ook geld gaat vragen.

Dan komt Ouave naar me toe. Zij probeert nog steeds af en toe vriendinnen met mij te worden. 'Jij met mij kermis?' vraagt ze.

'Misschien,' zeg ik.

De volgende dag laat Ouave me twee tientjes zien. 'Kermis!' zegt ze.

Ik kijk even langs haar heen naar Annabel. Die trekt een grappig gezicht.

'Een ander keertje,' zeg ik tegen Ouave.

'Oké,' zegt ze.

'Wat een grote dochter hebben we al,' zegt mama, 'helemaal alleen naar de kermis.'

Annabel komt me ophalen. Het is al een beetje donker en de lichtjes van de kermis schitteren ons tegemoet. 'Wowowowowowow,' roept een stem, 'daarrrrrrr moet je bij zijn.'

'Eigenlijk mocht ik niet,' zegt Annabel. Ze hinkt nog steeds een beetje. 'Maar ik heb gezegd dat de hele klas ging.'

Haar ouders zijn nog steeds boos dat ze in de Amerikavaart is gesprongen. Daar kan ik ook niks aan doen natuurlijk, maar haar moeder de ijskoningin denkt daar anders over. Volgens mij kan ze gewoon niet geloven dat haar eigen dochtertje misschien ook wel eens iets raars doet.

We blijven staan bij een tent waar je met een grijper mooie horloges en kettingen kunt oppakken. Er staan een paar grote jongens met zwarte leren jasjes. Eén van die jongens ken ik, het is de broer van Jacco.

'Kom,' zegt Annabel, 'we gaan naar de kleef.'

'Wacht, even kijken.' Ik loop naar voren en Annabel komt achter me aan.

De jongens zijn echt groot. Ze roken de hele tijd sigaretten. Toch kijken ze naar Annabel en mij, dat zie ik heus wel.

En Annabel ook, want ze schudt steeds met haar lange haren. 'Zo moeilijk ziet het er niet uit,' zegt ze.

'O nee?' zegt de broer van Jacco. Eén van zijn vrienden mompelt wat. Ik weet het niet zeker, maar het klinkt een beetje als: 'Iemand nog een kapstok nodig?' Hij kijkt schuin naar mijn neus.

Er klinkt gelach en ik verstijf helemaal.

Annabel kijkt even opzij met een raar lachje – alsof ze zich een beetje schaamt. O nee, gaat zij nu ook beginnen?!

'Kom,' zeg ik hard tegen haar. 'We gaan iets winnen.'

'Wat?'

'We gaan dit spel doen.'

'Maar...'

Ik luister niet naar haar. Met een grote stap ga ik naast de jongens staan.

'Kunt u wisselen?' vraag ik aan de meneer achter de kraam. Meteen heb ik een berg munten voor me liggen. De jongens komen dichter bij me staan.

Ik gooi een munt in het apparaat. De grijper beweegt naar een prachtig gouden horloge. 'Die ga ik aan papa geven,' denk ik. Op hetzelfde moment laat de grijper het horloge vallen en is het spel afgelopen.

'Je had hem bijna,' zegt Annabel.

'Ik ga het nog een keer proberen.'

De broer van Jacco kijkt even opzij. 'Langzamer,' zegt hij.

'Sneller,' zegt zijn vriend.

'Ja, wat is het nou?' vraagt Annabel alsof zij het is die achter dat kastje staat.

De jasjes van de jongens hebben heel veel ritsen. Een van die jongens heeft wit haar dat recht omhoog staat. Hij kijkt de hele tijd naar mij. Ik móét dat horloge winnen, denk ik. Ik ben toch in alles nummer 1, of niet soms?

Ik probeer het opnieuw. En nog een keer. En nog een keer. Elke keer valt het horloge net iets te vroeg omlaag. Eén keer heb ik bijna een ketting met diamanten te pakken.

De jongens staan nu allemaal om mij heen. 'Bijna!' joelen ze.

Er liggen nog maar heel weinig munten. Ik schrik ervan.

'Kom,' zegt Annabel en ze probeert me mee te trekken.

Maar dan zeg ik zomaar keihard: 'Wie wil er een teddybeer voor me winnen?'

Annabel blijft verbaasd staan.

Ik gluur naar de jongens en wijs op een beer zo groot als een kleuter. Ik zie meteen voor me hoe ik daarmee over de kermis loop. Ik wil die beer!

'Laat mij maar,' zegt de jongen met het witte haar. Hij pakt mijn laatste geld en komt achter me staan. Ik ruik het leer van zijn jasje en ook sigaretten. Hij staat helemaal om me heen, ik krijg het er warm van.

Even kijkt de jongen van opzij naar me. Ik krimp in elkaar

omdat ik denk: o nee, mijn neus! Hij gaat vast over die neus beginnen. Maar dan lacht hij alleen maar. 'Ik win die beer voor jou, kleintje,' zegt hij. Kleintje mag hij wel zeggen. Dat klinkt lief.

Maar de jongen wint geen beer. Wel bijna.

Hij krijgt ook nog een vijfje van Annabel, maar het lukt hem niet.

'Kom,' zegt de broer van Jacco. 'Je maakt al het geld van die meisjes op.'

Maar dat is toch al gebeurd, in ieder geval dat van mij.

De jongen met het witte haar haalt zijn schouders op. 'Sorry,' zegt hij tegen mij. Met zijn wijsvinger aait hij even over mijn wang. Dan loopt hij achter de andere jongens aan. 'Kom!' roepen ze tegen hem. 'We gaan naar de botsautootjes.'

Ik blijf doodstil staan. Mijn wang gloeit.

'En nu?' Annabel ziet eruit alsof ze in tranen gaat uitbarsten.

'Wat is er?'

'Bijna al ons geld is op. En ik wilde nog in de kleef. En een dropbal voor mijn broertje meenemen. En...'

'De botsautootjes,' zeg ik.

'Wat?'

'De botsautootjes. Nu.' En ik begin te lopen.

Terwijl Annabel, nog steeds mopperend, muntjes gaat kopen, zoek ik naar de jongen met het witte haar. Ik heb hem zo gevonden, hij steekt met zijn benen uit het wagentje.

En dan gebeurt er een wonder.

Hij wenkt naar me. Naar mij! Kom bij me in de wagen, gebaart hij.

Ik begin een beetje te lachen. En te zweten tegelijk. Mij, bedoelt hij mij? Joni met de neus?

Dan gaat er een bel en de jongen wenkt weer: nu! Nu moet je komen.

Ik stap langzaam de zwarte vloer op.

Dan rent er ineens een groot meisje met een piepklein spijkerbroekje langs me. Zij springt in het wagentje van de jongen. Hij lacht en ze zoenen. Hij bedoelde haar dus al die tijd, niet mij. Natuurlijk niet. O, wat voel ik me stom!

Maar dat duurt niet lang. Als Annabel terugkomt met muntjes, ben ik vooral boos.

Annabel ziet het aan me. 'Wat is er?' vraagt ze, een beetje bang.

'Die rotjongen,' zeg ik en wijs. 'Die heeft al ons geld opgemaakt.'

We beginnen te rennen om een wagentje te bemachtigen.

'Ik stuur,' zeg ik tegen Annabel. Ik stuif weg.

En ik rust niet voor ik de jongen met het witte haar in de hoek heb gedreven en keihard frontaal op hem ben gebotst.

'Au!' gilt Annabel. 'Mijn knie, mijn knie!' Zelf stoot ik ook keihard tegen de rand van het wagentje als we omhoog schieten.

Maar ik lach alleen maar, want het vriendinnetje van die jongen heeft nog veel meer pijn. Ze buigt zich voorover met haar hand voor haar mond. Ik geloof dat ze op haar tong heeft gebeten, want er zit bloed aan haar vingers. Ze stapt heel boos uit en laat die jongen gewoon zitten.

Jammer genoeg gaat hij er zelf bij de volgende ronde ook uit. Maar ik voel me toch een stuk beter.

Annabel niet, die is heel boos. Op die jongen, en ook op mij. Maar dat gaat wel weer over.

– Ik mag eigenlijk niet van mijn moeder –

'Kermis?' vraagt Ouave de volgende dag.

'Nu even niet,' zeg ik. Ik kan het woord kermis niet meer horen.

‘Morgen?’ vraagt Ouave.

‘Oké,’ zeg ik en ik loop naar Annabel. Maar die draait haar rug naar me toe en praat alleen maar met Sandra. Echt flauw.

Het is een lange, saaie dag.

Maar die nacht droom ik van Jacco. Hij is heel lief en hij duwt mij de hele tijd op een grote schommel.

‘Hier,’ zegt hij, en hij geeft me een teddybeer zo groot als een kleuter. ‘Die heb ik voor je gewonnen.’

‘Voor mij?’ vraag ik.

‘Voor jou,’ zegt Jacco.

Als ik wakker word, voel ik het nog steeds. Dat lieve. Het is zaterdag en ik wil alleen maar naar school. Om Jacco te zien, natuurlijk.

‘Zwart haar en blauwe ogen, dat is een van de zeven schoonheden,’ zegt mama als ik haar Jacco aanwijs op de klassenfoto.

‘Wat zijn de andere?’

‘Een kuiltje in je wang, amandelvormige ogen, een moedervlek bij je mond...’ peinst mama.

En een schattige wipneus, denk ik, of zo’n kleine rechte neus als Sandra heeft. Vast.

Die avond zijn we net klaar met eten als de bel gaat.

‘Wie kan dat nou zijn?’ zegt mama.

‘Jacco!’ denk ik. Maar dat slaat natuurlijk nergens op. Toch zeg ik snel: ‘Ik doe wel open.’

Ik knip het lichtje aan en daar staat Ouave. Ze heeft een rare pet op en ziet er bleek uit met een beetje snot onder haar neus. Ik staar haar aan en zij barst meteen uit in een enorme smile.

‘Kermis?’ zegt ze.

Ik schrik me rot. Helemaal vergeten!

Ouave ziet mijn gezicht en haar lach verschrompelt een beetje.

‘Wie is daar?’ hoor ik mama in de keuken roepen.

Ik trek de deur een beetje achter me dicht. Zal ik met Ouave meegaan? Misschien zie ik die grote jongens dan wel weer. Of misschien is Jacco deze keer meegekomen met zijn broer.

Maar dan kijk ik nog eens goed naar Ouave. Die pet is echt idioot, wie draagt er nou zoiets? Hij is oranje, met reclame van een bouwmarkt erop. Denkt ze soms dat ze hip is? Als ik met haar over de kermis loop, sta ik compleet voor gek, dat is zeker.

'Weet je Ouave,' zeg ik, 'ik mag eigenlijk niet van mijn moeder. Jammer, hè? Ik heb het wel gevraagd, maar toen zei ze dat ik laatst al was geweest en ik mag niet nog een keer. Stom, hè?'

Ouave staart me aan. 'Jij niet kermis?' vraagt ze.

'Nee, misschien een andere keer,' zeg ik.

'Andere keer?' Ouave kijkt naar de twee verkreukelde tientjes in haar hand. Ik vraag me af of ze helemaal is komen lopen. Haar huis is best ver hiervandaan.

'Andere keer,' beloof ik. Ik vind het heel zielig voor haar, maar het kan echt niet. Als die jongens ons zien... En ze plakt toch al zo aan me.

Ouave knikt. Ze knijpt haar hand open en dicht om het geld heen. Dan draait ze zich om.

'Tot maandag!' roep ik tegen haar rug. 'Ik ga op school wel met je spelen.'

Ik ga gauw naar binnen, het warme licht in.

'Wie was dat?' vraagt mama.

'Een meisje uit mijn klas die met me naar de kermis wilde. Ouave.'

'Ouave?' zegt mijn moeder verrast.

'Ik heb gezegd dat ik niet kon. Ik ben toch al met Annabel geweest?'

'Je kan nog een keertje gaan,' zegt mijn moeder. 'Je houdt toch van de kermis?'

'Ik ga niet naar de kermis zonder geld.'

'Je hebt anders nog dat tientje van opa en oma,' zegt mama. 'Gebruik dat dan.'

'Nee, dat ben ik aan het sparen. En ik hou trouwens helemaal niet zo erg van de kermis.'

Mama kijkt me een beetje ontevreden aan en ik loop snel de

keuken uit. Ik ga op de wc zitten. Jacco, denk ik, maar ik zie steeds Ouave voor me met die pet. Dat wil ik niet, ik wil aan Jacco denken!

Het duurt best lang, maar dan ben ik Ouave gelukkig kwijt en zweven mijn gedachten weer helemaal bij Jacco en de zeven schoonheden.

– Maar hoe moet je nou tongzoenen? –

‘Wat gaan we dan doen?’ moppert Annabel. Ik heb gezegd dat we iets heel leuks zouden gaan doen als zij en Sandra bij me kwamen spelen. Eerst wilden ze wel, toen niet, en uiteindelijk toch weer wel.

Zelfs Sandra mocht weer meekomen. Ze heeft nog één keer een enorm pak slaag gehad voor die Amerikavaart en toen zei haar vader: ‘En nu is alles vergeven en vergeten.’

Sandra begint elke keer over dat pak slaag.

‘Eén pak slaag?’ zegt Annabel. ‘Dat valt eigenlijk wel mee.’

‘Zoveel klappen als ik oud ben plus nog vijf om het af te leren,’ zegt Sandra en ze laat ons haar billen zien. Ik zie niks, maar volgens Sandra zijn ze veel roder dan normaal.

Annabel en ik willen het aan onze ouders vertellen, van dat slaan. Maar als we dat doen, wil Sandra nooit meer met ons spelen. ‘Het is niet zo erg,’ zegt ze nog, ‘echt niet. Mijn vader bedoelt het goed.’

‘Hoe voelt dat, als ze zo hard op je blote billen slaan?’ vraagt Annabel.

Sandra trekt gauw haar broek weer omhoog. ‘Dat wil je niet weten.’

Annabel staat weer op. ‘Als we toch niks leuks gaan doen, ga ik naar huis.’

Sandra kijkt naar mij

‘Weet je wat ik wel eens zou willen weten?’ zeg ik langzaam. ‘Hoe tongzoenen gaat.’

Annabel kijkt opzij. 'Jacco zegt dat hij en Katie het heel vaak doen,' zegt ze.

'Wanneer?' vraag ik jaloers. Heeft Annabel met Jacco gepraat terwijl ik er niet bij was?

'Gewoon, na schooltijd. In zijn hut op het landje.'

'Nee, maar ik bedoel: wanneer zei hij dat?'

'Laatst, in de pauze,' zegt Annabel vaag. Ik wil nog verder vragen, maar dan begint Sandra te praten.

'Ik vind het smerig,' zegt ze.

Tongzoenen? denk ik, maar ze bedoelt de hut van Jacco.

Het landje ligt vlak naast de school. Je kunt er van die oude pijpenkoppen van vroeger vinden, maar vooral roestige spijkers. Als je die in je voet krijgt, ga je dood. En het stikt er van de hondenpoep. Maar er staat ook een oude auto zonder ramen en de jongens hebben daar een soort hut van gemaakt. Ze zeggen dat ze er ook slapen.

'Hoe moet je dan tongzoenen?' vraagt Annabel.

'Nou gewoon.' Ik ga op mijn bed liggen. 'Het is makkelijker als je ligt.'

Gelukkig heb ik een groot bed. Aan de ene kant komt Annabel, aan de andere kant Sandra. We oefenen op tongzoenen. Het is grappig, Sandra heeft een veel hardere mond dan Annabel. Dat had ik vantevoren niet gedacht.

'Ik trek even mijn vest uit,' zegt Annabel. Daaronder heeft ze alleen maar een dun zomerhemdje.

We liggen net weer lekker als mijn moeder plotseling de kamer binnenstapt. In haar hand heeft ze een blad met kopjes thee en koekjes.

'Mam!'

Annabel en Sandra schieten als hazen het bed uit.

'Auwauwauw!' Annabel heeft weer eens haar knie gestoten. De tranen lopen over haar wangen en mama zet snel het dienblad neer om naar haar been te kijken. Je ziet natuurlijk niks, alleen een dik verband, maar Annabel zegt dat het vanbinnen heel hard klopt. Dat vlees dat wild is geworden gaat enorm tekeer.

‘Gaat het?’ vraagt Sandra lief. Ze kijkt met grote onschuldige ogen naar mijn moeder.

Mama glimlacht een beetje. ‘Ik denk dat Annabel binnenkort toch nog een keertje naar het ziekenhuis moet.’

‘Wat erg,’ zegt Sandra.

‘Jullie houden toch van thee?’ vraagt mama. ‘Zal ik het hier maar neerzetten?’

Ondertussen probeert Annabel snel haar vest weer aan te trekken. Eén mouw zit binnenstebuiten.

Mama knoeit als ze het blad neerzet. Ik vind dat ze er vandaag stom uitziet. Ze heeft een pukkeltje bij haar neus dat glimt van de crème die ze erop heeft gesmeerd.

‘Mam?’ zeg ik.

Ze is al bij de deur. ‘Ja Joni?’

‘Voortaan moet je kloppen.’

Het lijkt wel of mama een beetje rood wordt. ‘Ja,’ zegt ze. En dan nog een keer: ‘Ja. Daar heb je helemaal gelijk in. Eigenlijk klop ik ook altijd. Maar ik had nu mijn handen vol. Met dat blad. En ik dacht niet na. Maar je hebt gelijk. Het spijt me. Ik zal kloppen.’

Ze doet raar. Zenuwachtig, alsof ze ergens bang voor is.

‘Is ze nou boos, je moeder?’ vraagt Sandra als ze weg is.

‘Waarom zou ze?’ vraag ik.

Annabel worstelt nog steeds met de mouw van haar vest. ‘Volgens mij lag jij net lekker met Sandra te lebberen, Joni, toen ze binnenkwam. Maar ik zag dat hoofd van haar. Ze schrok zich te pletter.’

‘Ik lag helemaal niet... gadver. Wie kon er nou steeds geen genoeg van krijgen?’

Maar Sandra begint te giechelen. En als zij lacht, dan moet je wel mee lachen. Algauw wordt het de slappe lach. Wel een uur lang, totdat mama komt zeggen dat we gaan eten. Maar deze keer klopt ze eerst. Heel hard.

– Bomen voor bakstenen –

'Jongens, meiden,' roept meester Frans. 'Kom allemaal in de kring, ik heb groot nieuws.'

Groot nieuws?

'Misschien is hij zwanger,' fluister ik tegen Annabel en ze schiet in de lach.

Maar meester Frans vertelt dat ze lelijke gebouwen willen gaan neerzetten, pal naast de school.

'Nee toch?' zegt Sandra, alsof ze een groot mens is dat zulke dingen erg vindt.

Meester Frans knikt haar toe. 'Recht voor je neus,' zegt hij dreigend. 'Op ons mooie veldje.'

Veldje? O, hij bedoelt het landje. Nog een paar kinderen doen heel geschrokken, terwijl ik zeker weet dat ze nooit op het landje spelen.

'En daarom,' zegt meester Frans 'gaan we actievoeren.'

Ik hou op met luisteren. Actievoeren is iets van mijn vader, hij is er dol op. Dan ga je een hele dag in de kou met bevroren vingers papiertjes uitdelen. Er is soep in thermosflessen en koffie in thermosflessen en als je niet uitkijkt, neem je een slok koffie als je soep bedoelt. Ook is er altijd een kraampje waar mensen staan te praten en handtekeningen zetten. Actievoeren is echt een van de allersaaiste dingen om te doen in het weekend.

'... en daarom gaan alle kinderen van de buurt bomen planten,' zegt meester Frans. Hij heeft vandaag een marsepeinrose trui aan die er zacht uitziet. Ik wil hem wel aaien als een poes.

'Leuk, hè?' zegt Sandra zachtjes tegen mij.

'Wat?'

'Dat het landje een bos wordt.'

'Hoezo?'

'Nou, je hoort het toch? Dat we allemaal bomen gaan planten, zodat er geen gebouwen komen.'

Ik schrik op. 'Maar de hut van Jacco dan?'

Sandra haalt haar schouders op. 'Het landje is vies,' zegt ze.

Maar ik vind het een rotstreek. Ik bedoel: zo dol ben ik niet op het landje. Maar het is van ons, en die hut is van Jacco en Katie en de andere lippenstiftmeisjes. Het is de enige plek van heel Buitenwijk waar het een rommeltje is en dat willen ze nu ook al opruimen.

'We zorgen dat het in de krant komt,' zegt meester Frans. 'En aan het einde van de dag hebben we een prachtig nieuw bos erbij in Buitenwijk.'

Hij straalt van plezier, alsof dit het beste idee aller tijden is. 'We gaan ze laten zien dat de kinderen van Buitenwijk precies weten wat goed voor ze is,' roept hij.

'O ja? Wat dan?' zegt Jacco. Hij is gelukkig ook niet erg onder de indruk.

'Schone lucht!' roept meester Frans. 'Natuur! Buiten spelen.'

Ik kijk naar Jacco. Hij zit een beetje vaag op zijn stoel te wiebelen en propjes in het rond te schieten. Alsof hij nog niet begrijpt dat er gevaar dreigt voor zijn hut.

'En daarom gaan we spandoeken maken,' zegt meester Frans. 'Jullie mogen in groepjes leuzen verzinnen. Dat zijn teksten voor op de spandoeken.'

'Wat voor leuzen?' Sandra wil het natuurlijk weer precies goed doen.

'*Bomen voor bakstenen*,' zeg ik.

'Precies! Gedichten, dromen over bomen, schrijf ze maar op. Aan de slag!' Meester Frans wrijft in zijn handen. Hij is naar de kapper geweest, zijn lange haar is krulleriger dan ooit.

Annabel en Sandra gaan in ons vaste hoekje zitten. Ik kijk naar Jacco. Hij zit met een paar jongens propjes te kreukelen voor hun schietsysteem.

'Wat voor leus doen we?' vraagt Annabel.

'*Dromen over bomen*,' zegt Sandra.

'Nee, dat is stom,' zeg ik en ik loop weg, naar Jacco toe. Het is lekker druk in de klas, dus we kunnen goed praten.

'Hoe moet dat nu met je hut?' vraag ik.

‘Wat is daarmee?’

‘Als we die bomen gaan planten, moeten ze je hut weghalen.’

‘O,’ zegt Jacco.

‘Ja, dus?’

Jacco schiet een propje naar meester Frans. Het blijft in zijn krulletjes plakken zonder dat hij het merkt. De jongens joelen.

Ik blijf nog even staan. Dan draai ik me om en loop terug naar Sandra en Annabel. Echt stom van Jacco. Zijn eigen hut – en het kan hem helemaal niks schelen dat ze hem slopen!

‘*Stop de nieuwbouw*,’ zegt Annabel net. Zij en Sandra hebben al een hele lijst leuzen.

‘Saai,’ zeg ik.

‘*Bomen. Omdat kinderen moeten kunnen dromen*,’ zegt Sandra.

‘Te lang.’

Ze kijken me nu allebei aan. ‘Verzin jij dan wat,’ zegt Annabel. ‘Jij bent hier goed in.’

Ik denk aan alle keren dat ik mijn vader en moeder heb zien actievoeren. Meestal staat er iets van STOP op de spandoeken, maar dat had Annabel al gezegd.

‘*Baas in eigen buurt*,’ zeg ik.

‘Dat heb ik al eens gehoord,’ zegt Annabel.

‘Kan niet, ik heb het net verzonnen. Of anders iets met groen. *Hou Buitenwijk groen*.’

‘*Baas in Buitenwijk*?’ zegt Sandra.

‘Nee, dat slaat nou weer nergens op.’

‘O,’ zegt Sandra onthutst.

‘Sorry hoor, maar dat kan gewoon niet. *Bomen zijn leven* – dat kan wel. Of: *Bomen zijn ons leven*.’ Ik zie de spandoeken al voor me. Zelfs de krantenfoto van de spandoeken tussen de pas geplante bomen zie ik. En dat ik er dan naast sta – met mijn gezicht recht, zodat mijn neus niet opvalt.

We zitten zo druk te praten dat we schrikken van het geluid van de bel voor de pauze.

Terwijl we haastig onze spullen bij elkaar vegen, loopt Jacco vlak langs me.

'Als je naar mijn hut komt, vanmiddag,' zegt hij in mijn haar, 'dan kunnen we erover praten. Alleen jij en ik.'

Ik wil antwoord geven, maar hij is alweer weg.

'Wat zei hij?' vraagt Annabel.

'Dat ik gelijk had. Dat het stom is dat ze zijn hut gaan slopen om bomen te planten.'

'O.'

Maar ondertussen sta ik te trillen op mijn benen. Ik heb een afspraakje, met Jacco!

– Van mijn hut moeten ze afblijven –

Na school ren ik naar huis en schreeuw tegen mama dat ik ga buitenspelen.

'Wil je niet eerst een kopje...' Twee kommen, suikerklontjes, schaal met koekjes. En mama daarachter.

'Nee, ik heb echt geen tijd, ik drink het straks wel.'

'Maar dan is het koud.'

'Helemaal niet erg. Ik ben dol op koude thee.'

Mama zit er een beetje zielig bij met zo'n hele pot thee. Dus vertel ik snel over de bomen voor bakstenen. Maar mama heeft er al over gehoord.

'Het is een prachtig idee,' zegt ze.

'Maar nu gaan ze dus die hut van Jacco kapotmaken.'

'Hut? O, die vieze auto?'

En mama begint maar weer eens over de roestige spijkers en de glasscherven. Dat snap je toch niet? Eerst is het allemaal zo geweldig daar en mag er niks gebouwd worden. En dan is het weer gewoon een vies stukje grond.

'Hij kan straks een boomhut gaan maken,' zegt ze nog. Een boomhut – Jacco is toch geen aap!

Ik ga er maar snel vandoor

Als ik op het landje aankom, is Jacco er nog niet. Ook stom

dat we geen tijd hebben afgesproken, misschien komt hij pas over twee uur.

Ik gluur naar de autohut. Hij zit op slot, maar door de kapotte ramen waar karton voor zit komt de geur van oud feest. Ik moet aan de woongroep denken. Daar heb ik al een tijdje niets over gehoord.

Ik ga zitten. Sta weer op. Langzaam loop ik in de richting van de flats waar Jacco woont. Ik schop tegen een kapotte voetbal en krijg een enge hond om me heen.

'Weg jij!' Maar de hond springt uitgelaten tegen me op, alsof ik zijn baasje ben.

In de verte zie ik een paar vrienden van Jacco voetballen voor de flats. Ik kan niet zien of Jacco er zelf bij is.

Maar als ik weer terugloop naar de auto, staat hij daar ineens. Hij lacht naar me met die stralende ogen.

'Hoi,' zeg ik, heel verlegen ineens.

Jacco maakt het slot van de auto open en nieuwsgierig kijk ik naar binnen. De stoelen en banken zijn eruitgehaald. Het is echt zo'n jongenshol. Er hangen plaatjes van blote vrouwen aan de zijkant waar ik maar niet al te lang naar kijk. En op de bodem liggen lege bierflesjes en heel veel peuken. Plus een soort dekentje. Zouden Jacco en Katie daarop...?

Ik kijk op. Jacco staat tegen de rand van de autodeur geleund.

'Echt een mooie hut,' zeg ik snel. 'Daar blijft dus niks van over als ze die bomen gaan planten.'

'Hoe weet je dat?' vraagt Jacco.

'Dat is toch logisch? Bovendien heeft mijn moeder het ook nog gezegd.'

'Wat zei ze dan?'

'Dat je maar een boomhut moest gaan maken.'

Jacco spuugt een strakke lijn spuug op de grond. 'Zo,' zegt hij.

Het is een tijdje stil, terwijl ik denk: wat nu? Maar ik kan echt niks verzinnen, al mijn gedachten staan stil.

'Ik ga waarschijnlijk toch van die school af,' zegt Jacco.

'Echt? Waarom?'

Jacco haalt zijn schouders op. 'Maar van mijn hut moeten ze afblijven,' zegt hij dan opeens. Hij kijkt bozer dan ik ooit heb gezien.

'Ze gaan het toch doen,' zeg ik, want dat weet ik ineens heel zeker. Ze gaan echt dat bos niet precies rondom deze auto bouwen. Meester Frans houdt van heel andere hutten. Knuffeliger, en zeker niet met blote vrouwen erin.

'Dan fikken we dat bos af,' zegt Jacco.

'Wat?'

'Je hebt me wel gehoord.' Jacco kijkt naar de grond en schopt tegen een flesje. Er stroomt een restje schuimend bier uit. Ik vind hem nu zo stoer dat ik er buikpijn van krijg.

'Bedoel je... Brand? Hoe wou je dat doen?' vraag ik.

'Wel eens van benzine gehoord? Dat brandt goed hoor, krijg je zo'n bos makkelijk mee tegen de vlakte.'

Ik krijg meteen overal prikkerig zweet. Jacco is nog beter in plannetjes maken dan ik. En hij vertrouwt mij!

Maar aan de andere kant, een heel bos in brand steken, dat is doodeng. Kan dat wel? Is dat niet heel gevaarlijk?

'Waar haal je die benzine vandaan?' vraag ik.

'Mijn vader heeft toch een garage?'

Weer iets wat ik niet wist van Jacco. Maar dat zeg ik natuurlijk niet.

Het is even stil. Ik denk dat ik aan de beurt ben om iets te zeggen, maar ik weet niet goed wat.

'Oké,' zeg ik dan. Voorlopig is er nog niks gebeurd, ik zie wel hoe het verdergaat.

Jacco kijkt me aan. Hij lacht zijn ogen tot spleetjes. Eigenlijk is hij een heel klein beetje te dik, maar dat vind ik juist schattig. 'Jezus Joni,' zegt hij.

'Wat!' zeg ik.

'Je bent echt gek, jij.'

Ik begin te blozen alsof het een enorm compliment is – en misschien is dat ook zo.

Ik kan niet slapen

Het is heel donker buiten en het waait. Ik moet slapen maar ik wil niet.

Beneden is alles warm en licht. Daar zitten papa en mama tv te kijken.

Ik moet er gewoon naartoe, zoals een konijn dat in de nacht op de koplampen van een auto af gaat. Het kan niet anders. De treden van de trap zijn koud onder mijn voeten. Voor de kamerdeur blijf ik staan. Ik hoor zacht gemompel van de tv. De klok aan de muur tikt rustig. Pas na vijf lange minuten durf ik naar binnen te gaan.

'Joni?' Mijn moeder kijkt een beetje boos, mijn vader verbaasd. 'Slaap jij nog niet?'

'Ik kan niet slapen.'

Mama wil me wegsturen, dat zie ik aan haar gezicht. Maar papa klopt naast hem op de bank. Ik ga snel zitten.

'Ik maak wel wat warme melk voor je,' zegt mama dan.

Papa en ik kijken naar de tv. Een stoere man en een blonde vrouw staan heel dicht bij elkaar. 'Eindelijk weet ik wat liefde is,' zegt de man. Ik probeer me zo onzichtbaar mogelijk te maken. Als mama terugkomt, drink ik met minislokjes van mijn melk.

De man en de vrouw beginnen nu te zoenen. Ik vind het vies, maar toch kan ik niet ophouden met kijken. Dus zó doe je dat, met je hoofd een beetje scheef en ook nog naar achteren. Dan deden Annabel, Sandra en ik het laatst helemaal verkeerd.

Mama schuift heen en weer op de bank. 'Dit is niet echt voor kinderen,' zegt ze.

'Ach,' zegt papa.

'Waarom hebben ze die muziek erbij?' vraag ik.

'Omdat het een drama is,' zegt papa.

'Wat is een drama?'

'Dat zal je later wel begrijpen.' Papa geeft me een knipoog.

Waar slaat dat nou weer op? 'Maar...'

'Gaat het weer met jou?' Mama pakt de lege melkbeker uit mijn hand.

'Mag ik niet nog heel even...'

'Nee.' Mama gaat voor de tv staan, maar ik zie heus wel dat er nu een halve borst in beeld is.

Papa loopt mee naar boven. 'Nu echt gaan slapen hoor,' zegt hij.

'Maar ik vind het zo eng,' zeg ik.

'Mijn grote kleine meisje,' zegt papa. 'Ik laat het licht voor je aan op de gang.'

Maar dat is het niet. Het is dat zwarte gat. Het slapen zelf is eng, dat je zomaar weggaat naar een plek die je je later niet meer herinnert. Alsof je doodgaat. En het allerengste is nog wel het moment dat je wegglijdt. Een soort dunne donkere tunnel in. Je kunt het niet tegenhouden, het gebeurt gewoon. Zonder dat je je ergens aan kunt vasthouden word je in het zwarte gat gesleurd. Soms vind ik de slaap net een monster, een zwarte octopus die je meesleurt met zijn glibberige tentakels.

Ik ga liggen, trek de dekens over me heen, denk aan leuke dingen. Babypoesjes, verjaardagsfeestjes, vakantie.

Ik probeer het, echt.

Maar even later zit ik toch weer rechtop. Ik ben nu echt moe, maar ik wil dat zwarte gat van de slaap niet in. Ik wil het NIET!

Er zit niks anders op, ik moet weer die trap af.

Deze keer blijf ik zeker tien minuten voor de deur staan. Ik hoor de tv niet meer, maar wel de stemmen van papa en mama. Ze zitten zacht te praten. Er rinkelt ook iets van kopjes of glazen.

Na een tijdje krijg ik het zo koud op mijn blote voeten dat ik begin te bibberen. Naar beneden of terug naar boven? Heel zachtjes duw ik de deur open.

Papa en mama zitten dicht tegen elkaar aan. Ze zien me niet.

'Eindelijk weer eens met zijn tweetjes,' hoor ik mama zeggen. Ik krimp ineen, durf me meteen niet meer te bewegen.

Papa mompelt iets. Ik hoor het woord 'woongroep'.

'Ja, maar als we nou eens...' De rest versta ik niet.

'Eh... papa?' zeg ik dan toch maar.

Als ik een stapel borden op de vloer had gesmeten, waren ze niet harder geschrokken. Papa staat met één sprong naast de bank. 'Wat is er nou weer?'

'Ik heb buikpijn...' Het kost me geen enkele moeite om nu te gaan huilen.

'Lieve schat...' begint mijn moeder, maar het klinkt helemaal niet lief.

Papa valt haar in de rede. 'Had je maar niet al die melk moeten drinken. Hup Joni, ik zit hier nu met mama.'

Dat is het nou juist. 'En ik ben helemaal alleeheen,' jammer ik.

Maar papa is opeens harteloos geworden. 'In je slaap merk je daar niks van,' zegt hij.

Snikkend sjok ik de trap op naar boven. Helemaal in mijn eentje, hij gaat niet eens even met me mee. En ook nog eens met kou en met buikpijn. Ik ril helemaal als ik terugkruip in mijn bed.

De takken van de bomen tikken tegen mijn raam. Buiten waait en waait het maar. De verwarming maakt een klotsend geluid. En dan zetten ze natuurlijk ook weer van die ellendemuziek op beneden. Het jankt door de gang en ik vind het echt een rotstreek van papa. Hij weet best dat ik verdrietig word van muziek waar mannen in gillen.

Ik stop mijn hoofd onder het kussen. 'Waterloo, lalalalalalalalala,' zing ik zachtjes. Dat is van Abba.

Mijn vriendinnen, denk ik. Annabel, Sandra en ik. Net een tv-serie. Altijd in de zon en altijd met mooi haar. Ik zie ons over het landje rennen, of eigenlijk op tv. Annabel galoppeert als een paard en ik ga natuurlijk voorop.

De muziek jankt maar door. Ik hoor het al bijna niet meer.

Dan verdwijnen Annabel en Sandra. En daar komt een figuur aan in de zon. Jacco! Hij steekt zijn arm uit...

Ik ben aan het rennen, het is een soort droom. Ik heb wapperend haar en een fakkel in mijn hand. 'Kom!' schreeuw ik tegen Jacco. Iemand heeft het op zijn hut voorzien. We moeten de hut redden, nu!

Ik draai me om en struikel over een boomwortel. Baf!

Mijn hele lichaam schokt en ik ben meteen weer klaarwakker. Zie je nou hoe eng het is, in slaap vallen. Vallen, daar heb je het al. Ik wil helemaal niet vallen!

De rest van de nacht is vol gefluister en gerinkel en getik van takken tegen de ramen. En Jacco en vuur op het landje. Steeds schrik ik wakker. Eén keer is mama er, ze legt de dekens goed over me heen. Dan ben ik weer aan het rennen met Jacco.

En ineens is het dan toch licht en een nieuwe dag is begonnen en ik ben nergens meer bang voor.

De blonde seksmachine

'Weet je wat ik heb gedroomd?' zeg ik tegen Annabel.

Ze zit samen met Sandra een werkje te doen alsof haar leven ervan afhangt. De bel is nog niet eens gegaan!

Annabel zegt niks.

'Dat ik met Jacco...' begin ik.

'Leuk voor je,' zegt Annabel.

Ik ben meteen stil.

'Wat doen jullie eigenlijk?' vraag ik dan.

'Ons dierenwerkstuk.'

'O dat. Ik doe het mijne over schildpadden en dan mag ik onze eigen schildpadden meenemen van mama.'

'Ja, dat had je al verteld,' zegt Annabel kattig.

Ik zet mijn liefste stem op. 'En jullie? Nog steeds die weekdieren?' Weekdieren, dat zijn slakken en wormen enzo, wie vindt dat nou boeiend?

'Mijn vader is met ons naar Artis geweest,' zegt Sandra trots. Ze laat een stapel folders zien.

'Wanneer?' vraag ik jaloers.

'Gisteren.'

'Echt?'

Ik vind Artis ook heel leuk. Als ik dat had geweten, had ik wel met hun werkstuk willen meedoen.

'Mag ik de kaart van de gestippelde octopus?' vraagt Annabel aan Sandra – alsof ik er niet bij sta.

Sandra geeft haar een of andere stomme kaart. 'Of wil je die andere?'

'Nee, deze is goed.'

Ik blijf nog een tijdje staan, maar het is net of ik onzichtbaar voor ze ben.

Langzaam loop ik naar mijn plaats toe en struikel bijna over

Ouave. Ze zit met Monique op de grond een spandoek te maken voor die stomme bomendag.

'Kunnen jullie niet ergens anders gaan zitten?' snauw ik.

Monique schrikt, maar Ouave lacht en zegt: 'Sorry, Joni.'

Gelukkig komt meester Frans dan binnen. Iedereen moet opruimen, omdat we naar de gymzaal gaan.

Het is echt een pechdag want Annabel mag teams kiezen, samen met Ouave. En Annabel kiest Sandra en dan kiest Ouave mij en daarna Monique en die schattige Angeline. Dus zit ik in het kneuzenteam en natuurlijk verliezen we.

Maar het wordt nog erger.

Omdat de jongensdouches kapot zijn, gaan we allemaal in dezelfde kleedkamer. En ik gluur naar Jacco, maar Jacco gluurt naar Angeline. Dat zie ik heus wel. Ze heeft een rose hemdje aan met kantjes en daarin zie je heel goed dat ze al best veel borsten heeft.

'Mooi hemd,' zegt Jacco.

Angeline lacht een beetje zoals ze altijd doet: alsof ze er zelf van schrikt dat ze lacht. Zo irritant.

'Hé Angeline, ik ken een liedje,' zeg ik. 'Het gaat over jou.'

'O,' zegt Angeline angstig.

'Angeline, de blonde seksmachine,' zing ik. Het is een of ander stom lied dat mijn vader weleens zingt.

Angeline wordt rood, maar Jacco lacht. 'Dat is een goeie. Angeline, de blonde seksmachine!' Een paar van zijn vrienden beginnen meteen mee te zingen.

Angeline knippert met haar ogen alsof ze gaat huilen. Ze trekt razendsnel haar trui aan maar haar hoofd blijft vastzitten in de col. Het ziet er grappig uit. Sandra loopt naar haar toe en helpt haar, terwijl zij en Annabel boze blikken naar de jongens werpen.

'Hou nou op,' zegt Annabel.

'Angeline, de blonde seksmachine,' zingen ze nog harder.

'Ik ga het tegen meester Frans zeggen, hoor,' zegt Annabel.

'ANGELINE, DE BLONDE SEKSMACHINE.'

Angeline staat nu echt te huilen in de armen van Sandra en ik vind het allemaal even belachelijk. Een tijdje geleden hebben Annabel, Sandra en ik dat liedje ook nog gezongen tegen Angeline, heel zachtjes. Toen moest ze alleen maar lachen.

'Kom, we gaan weg,' zegt Sandra en daar gaat Angeline, met haar fijne nieuwe vriendinnen Annabel en Sandra. Eén van de andere meisjes rent er nog snel achteraan met Angelines tas.

'Kom je ook?' vraagt Sandra nog aan mij, maar ik sta gewoon nog in mijn onderbroek, dus dat kan niet eens. En wachten op mij, ho maar.

Daarna is het stil in de kleedkamer. Zelfs Jacco gaat ervandoor – terwijl ik nog wel met hem over ons vuurplan wilde praten.

Gelukkig kunnen Annabel en Sandra de rest van de dag niet aan hun weekdieren werken, omdat we verdergaan met de bomendag. De spandoeken, de brief voor de krant met de handtekeningen van alle kinderen eronder. En meester Frans vertelt hoe je een boom moet planten. Hij doet er wel een halfuur over om ons uit te leggen dat je een kuil moet graven en daar dan een boom in moet zetten.

'Wie van jullie wil met zijn foto in de krant?' vraagt hij.

Bijna iedereen steekt zijn vinger op. Ik weet zeker dat meester Frans mij gaat aanwijzen, want ik heb al één keer eerder een interview in de krant gedaan bij een actie van papa. Dus ik weet al hoe dat moet.

Maar hij kiest Ouave (die niet eens haar vinger had opgestoken) en Sandra. Nu heb ik helemáál geen zin meer in die actie.

– Soms ben je echt een vervelend rotkind –

'Misschien moet je gewoon even naar haar toe gaan,' zegt mama.

Ik zit tegenover haar aan de keukentafel alle koekjes op te eten.

Mama heeft net gevraagd waarom ze Annabel en Sandra de laatste tijd zo weinig ziet. En ik heb gezegd dat ze alleen maar met die weekdieren bezig zijn.

Mama staat op en haalt iets uit de boekenkast.

'Wat is dat?'

Een of ander boek dat *Boodschappers uit het paradijs* heet.

'Daar staat van alles in over vlinders,' zegt mama. 'Dat mogen ze wel lenen.'

'Zijn vlinders dan weekdieren?'

Mama fronst. 'Dat weet ik eigenlijk niet. Rupsen wel, toch?'

'Wormen zijn weekdieren, dus rupsen ook,' beslis ik. Ik spring op. 'Dank je, mama.'

De hele weg naar Annabels huis huppel ik. Het boek heb ik onder mijn arm geklemd.

Maar als ik bij het huis kom, stop ik. In de voortuin zit de moeder van Annabel onkruid te wieden. Ze heeft grote keukenhandschoenen aan en haar knieën zijn zwart van de aarde. Om haar heen staan allemaal bloemen in keurige rijtjes. Paarse viooltjes en afrikaantjes. Annabels moeder is dol op die tuin.

Ze kijkt op als ik het hekje voorzichtig opendoe. 'Ja, Joni?' zegt ze zonder op te staan.

'Ik kwam Annabel een boek brengen,' zeg ik, 'over rupsen en vlinders. Voor haar weekdierenwerkstuk.'

'Leg daar maar neer.' Annabels moeder wijst naar een muurtje.

'Kan ik het niet even aan haar geven?' Verlangend kijk ik omhoog naar de kamer van Annabel. Het raam staat een beetje open en het gordijn wappert naar buiten.

'Ze zijn er niet,' zegt Annabels moeder.

Ik voel alle vrolijkheid wegzinken. 'Is ze dan bij Sandra?'

'Ik geef dat boek straks wel, leg maar neer,' herhaalt de moeder van Annabel.

'Anders kom ik in het weekend wel terug,' zeg ik snel.

'In het weekend logeren we bij Annabels oma in Friesland en Sandra gaat ook mee.' De moeder van Annabel staat nu eindelijk op. Als een grote, brede ijskoningin kijkt ze op me neer. 'Hoor eens, Joni,' zegt ze, 'ik heb liever niet meer dat je komt.'

Wat? Het voelt net alsof ze me keihard in mijn gezicht slaat. Ik krimp ineen. 'Maar... we zijn vriendinnen,' zeg ik dan.

'Dat dacht ik niet,' zegt de moeder van Annabel.

Ik begrijp niet goed wat ik hoor. 'Maar...'

'Wat voor vriendin is een dief...'

Een dief?

'Maar Annabel ging zelf...'

'Wat voor vriendin geeft altijd anderen de schuld?' snauwt de ijskoningin me toe. 'Wat voor vriendin stelt voor om in het riool te springen? Annabel heeft nog steeds vreselijk last van die knie, maar hebben we ooit één keer "het spijt me" gehoord? Nee, in plaats daarvan troggel je al haar geld af op de kermis en ramt nog maar eens een keer met die knie tegen een botsauto.'

Ze is nu echt woedend en ik deins achteruit.

'Nee Joni, soms ben je echt een vervelend rotkind!' Die laatste woorden vuurt ze met spuug en al op me af.

Ik sta te trillen op mijn benen. Nog nooit heeft iemand zulke erge dingen tegen me gezegd, nog nooit. En dan nog wel een moeder! Mijn eigen moeder is altijd zacht en lief voor iedereen en al helemaal voor mij.

'Ik ben geen...' fluister ik.

Even staren we elkaar aan. De ijskoningin en het zogenaamde rotkind. Wie zal er winnen?

Dan wijst Annabels moeder met haar rubberen vinger naar het boek dat ik heb meegenomen en zegt, heel rustig ineens: 'Neem dat maar weer mee. Vlinders zijn geen weekdieren.'

'Maar rupsen...'

'Rupsen ook niet.'

Ik klem het boek tegen me aan. 'Ze mág het niet eens meer hebben – al zou ze het willen!' schreeuw ik. En dan ren ik keihard weg.

Door de straten.

Langs de speeltuin met de hekken eromheen.

Voorbij het kunstwerk van de stenen.

Naar... nee, niet naar huis. Hoewel ik niets liever wil dan zo snel mogelijk naar mama toe, durf ik het haar niet te vertellen. Al die erge dingen die de moeder van Annabel tegen me heeft gezegd. Het is wel waar en niet waar tegelijk, hoe kan dat? Want ik vind het heus heel erg van Annabels knie. Ik ben wél een goede vriendin. En misschien doe ik af en toe erge dingen, maar ik ben geen rotkind. Toch?

Even denk ik dat ik mezelf weg ga huilen. Dat is bijna net zo eng als in het zwarte gat van de nacht vallen. Jezelf weghuilen tot er niks meer overblijft.

Maar als ik drie rondjes over het landje heb gehold, weet ik wat me te doen staat. Ik schop heel hard tegen de oude voetbal en lach door mijn tranen heen.

Ik ga het die moeder betaald zetten. En ik weet al hoe.

– Rotkinderen bestaan niet –

Nog nooit duurde een zaterdag zo lang.

Ik ga naar het landje en speel een tijdje met diezelfde hond als laatst. Ik vind twee van die oude pijpenkoppen en een bijzondere scherf. En ik denk een beetje over de woongroep. 'Hoe zou je het vinden als de woongroep niet doorgaat?' vroeg papa vanmorgen.

Dat is een rare vraag. Het huis is gebouwd, ze hebben al zo'n keer of honderd vergaderd. Komt het soms doordat ik de tekeningen heb verpest, de kunstwerken van liefde en vrede?

'Het maakt mij niet uit,' heb ik tegen papa gezegd. Ik weet niet zo goed wat hij wil horen.

Maar nu denk ik: misschien was het toch wel leuk geweest. Een nieuw huis, een nieuwe kamer die ik zelf mocht verven, dat had mama al beloofd. En Bas en Martijn zouden een soort broertjes van me worden.

‘Het is nog niet zeker,’ zei papa. ‘We zijn er nog niet uit.’

Ik ben net doodgegaan van verveling, als Jacco daar ineens staat.

‘Hoi.’

‘Hoi.’

‘Zocht je mij?’ vraagt Jacco. Dat is wel zo, maar dat kan je toch niet zeggen?

‘Ik wilde weten of we het nog gaan doen,’ zeg ik dan maar.

‘Of we HET nog gaan doen?’ zegt Jacco en hij lacht. ‘Zeg jij het maar.’

‘Ik bedoel die brand, je weet wel.’

Jacco kijkt over mijn schouder en ik draai me om. Daar staat Katie, met een spijkerjasje aan. En ook een paar vrienden van Jacco uit de flat.

‘Wat doet zij hier?’ vraagt Katie dreigend. Het lijkt wel een slechte film. En dan zijn zij de boeven.

‘Joni is oké, Keet,’ zegt Jacco.

‘Hm.’ Katie steekt een sigaret op en blaast expres een rookwolk naar me toe.

‘En ik heb ook nog een ander plan,’ zeg ik snel.

‘Wat dan?’ vraagt Jacco. Katie en zijn vrienden komen dichterbij.

‘Ik moet iemands tuin verbouwen,’ zeg ik zo rustig mogelijk. Ondertussen gaat mijn hart als een gek tekeer, volgens mij zien ze het gewoon kloppen in mijn borst.

‘Iemands tuin verbouwen?’ vraagt Jacco verbaasd.

‘Ja, je weet wel. Zo’n keurig tuintje met van die bloemen als soldaatjes in een rij. Planten eruit trekken enzo. Dat het een rommeltje wordt. ’

Jacco’s vrienden beginnen te lachen. ‘Waar is die tuin?’ vraagt er één.

‘Het moet wel stiekem,’ zeg ik snel.

Jacco kijkt van mij naar zijn vrienden. ‘Laten we eerst maar eens gaan kijken,’ zegt hij dan.

Ze lopen allemaal achter mij aan, ook Katie. Het voelt stoer.

Zie je wel, ik heb Annabel en Sandra helemaal niet nodig. Af en toe lacht Jacco naar mij. Zwart haar en blauwe ogen. Oei, wat een blauwe ogen.

Als we Annabels straat in lopen, kijkt Jacco verbaasd om zich heen. 'Hé, woont hier niet...'

'Daar, dat hoekhuis,' wijs ik. 'Er is niemand thuis vandaag.'

'En bij de buren ook niet, zo te zien,' zegt één van de jongens. De straat lijkt inderdaad uitgestorven. De meeste mensen zijn naar het winkelcentrum, denk ik. Er staan weinig auto's.

'Het is inderdaad een afschuwelijk tuintje,' zegt de grootste van de jongens.

'Ik vind het wel mooi,' zegt Katie.

'Wacht maar tot wij hier klaar zijn.' En de jongens stappen over de lage heg.

'Er staan scheppen in dat schuurtje daar,' wijs ik.

Ik heb een raar slap gevoel in mijn benen. In dat tuintje heb ik Annabels moeder heel vaak gezien. Ze is er enorm voorzichtig mee, Annabel en ik mogen er nooit doorheen lopen. Eén keer hadden we er een bal in laten komen, en toen was ze woedend omdat er één piepklein bloempje geknakt was.

Terwijl nu. De vrienden van Jacco bekogelen elkaar met aarde. Ze banjeren met hun grote schoenen dwars door de plantjes. En het vijvertje gooien ze vol met stenen.

Dit is niet tegen Annabel gericht, zeg ik in mezelf, het is tegen haar moeder. De ijskoningin. En die heeft het zelf over zich afgeroepen. Weet je nog wat voor afschuwelijke dingen ze zei? 'Een rotkind...' Je hebt er al drie keer van moeten huilen. Dit zal haar leren.

Toch ben ik blij als ze ophouden. 'Jongens, het is wel goed zo,' zegt Jacco als ze ook aarde door de brievenbus willen gooien.

Hij kijkt naar mij. 'Tevreden?'

'Het ziet er geweldig uit,' zeg ik.

Het ziet er afschuwelijk uit

Als ik maandag op school kom, staat Annabel midden in een grote groep kinderen. Ze heeft gehuild, dat zie je zo. En in de klas mag ze van meester Frans vertellen wat er is gebeurd bij haar in de tuin. Ze doet heel lang over haar verhaal en Sandra geeft haar steeds nieuwe zakdoekjes om haar tranen te drogen. Wat een onzin over zo'n tuintje. Ik probeer aan andere dingen te denken.

Totdat ik ineens mijn oren spits.

Annabel heeft iets gezegd over de politie en dat ze denken dat het kwajongensstreken zijn.

Ik kijk even naar Jacco, maar die zit alleen maar heel vriendelijk naar Annabel te kijken.

En dan zegt meester Frans: 'Het zijn wel echte rotkinderen die zoiets doen.'

Weer dat woord! Ik kijk snel naar Jacco, maar die kijkt niet terug.

'Ze hebben de tuin van Annabels moeder vernield,' zeg ik tegen mijn moeder als ik uit school kom.

'Wat?' zegt mijn moeder. 'Wie?' Ze ziet er bleekjes uit, alsof ze griep krijgt. Komt dat doordat de woongroep misschien niet doorgaat?

'Alle bloemen geknakt, met wortel en al uitgegraven, stenen en kalk in de vijver gesmeten,' som ik op. 'Meester Frans zegt dat rotkinderen dat gedaan hebben.' Ik kijk haar strak aan. Dat woord achtervolgt me, lijkt het wel.

'Rotkinderen bestaan niet, Joni,' zegt mama. Dat zegt ze wel vaker en papa ook. Nu is dat precies wat ik wil horen.

'Maar als je die tuin...' begin ik.

'Geen enkel kind is een rotkind,' zegt mama. 'Er is altijd een reden, onthoud dat goed, Joni. Misschien hebben die kinderen die dat gedaan hebben wel heel nare ouders. Of wonen ze met veel te veel mensen opgepropt in een rottige flat. Dan zijn ze misschien wel heel jaloers op zo'n mooi tuintje.'

'Maar...' Ik begrijp er niks van. Ik heb geen nare ouders en ik woon ook niet in een rottige flat. Toch doe ik dingen die alleen rotkinderen doen. Hoe kan dat?

'Kopje thee?' vraagt mama.

Ik vergeet dat de thee heet is en brand mijn mond.

Hoe langer ik erover nadenk, hoe minder ik het snap. Ik word er alleen maar misselijk van – vooral van de gedachte dat papa en mama erachter zouden komen wat ik nu weer heb uitgespookt.

Ik kijk in de spiegel of je het aan me ziet. Ik zie er gewoon uit zoals altijd. Klein. Lang haar dat een beetje voor mijn neus valt. Misschien ben ik wat witjes, net als mama.

Maar een rotkind, ik?

– Ik ben jouw schat niet –

Jacco is geen rotkind. Hij doet heus wel erge dingen, maar dat doen al die jongens. Jacco zorgt meestal juist dat het niet te erg wordt. En naar hem luisteren ze allemaal. Omdat hij aardig is en wil helpen.

Zoals vandaag.

Het begint al heel gewoon te worden dat ik na schooltijd op het landje ben. Samen met de vrienden van Jacco.

'Hé Jacco, er staat een auto in de weg,' zegt één van de jongens.

'Waar?' Jacco draait zich om. De jongen wijst over zijn schouder. Hij heeft van dat oude snot aan zijn neus, dat vind ik altijd zó vies.

Ik wandel gewoon mee met Jacco en de anderen. Niemand zegt er iets van, het is net alsof ik erbij hoor.

Even later staan we met z'n allen bij de rand van het landje te kijken naar een hemelsblauw busje. Zo'n busje waar papa's woongroepvrienden mee op vakantie gaan en spullen in sjouwen als we actie gaan voeren. *Freedom* staat erop, dat betekent vrijheid, en er hangen bloemetjesgordijnen voor de ramen. Het zou eigenlijk best kunnen dat ik dit busje ken, dat het inderdaad van één van papa's vrienden is.

Maar nu staat dat busje dus in de weg, dat zie ik ook wel. Want je kunt niet meer naar de garages waar Jacco en zijn vrienden altijd voetballen.

'Echt asociaal om zo te parkeren,' zegt de jongen met het snot.

'Dan verschuiven we hem toch,' zegt Jacco. Hij duwt een beetje tegen het busje. 'Precies wat ik dacht. Die handremmen van die bussies zijn net luciferhoutjes.'

Twee seconden later staan we met z'n allen te duwen. Alleen Katie doet niet mee. Ze is gaan zitten en bestudeert haar nagels.

Maar ik sta tussen de jongens en op Jacco's aanwijzingen duwen we. 'Hup één twee. En hup één twee.' Door de raampjes zie ik de gordijntjes wild heen en weer zwaaien.

'Hup één twee.' Binnen in het busje valt iets om. Het rammelt.

Maar dan schiet de bus met een klap naar voren.

'Hup één twee!'

De bus stuitert weg. De plek bij de garage is nu vrij, maar we duwen toch door. Nu we eindelijk vaart hebben...

KNAL!

Eerst heb ik niet door wat er gebeurt. Maar dan zie ik het glas en ik hoor Katie een beetje sloom zeggen: 'Ja hoor, jongens. Gooi hem daar maar neer.'

We lopen naar de voorkant van het busje. Die is behoorlijk ingedeukt tegen de muur van de flat. De lampen zijn kapot en het spatbord hangt er half af.

O jee, denk ik, maar ik vind het eigenlijk ook wel grappig.

De jongen met het snot begint te lachen. 'Die laat het voortaan wel uit zijn hoofd om voor een uitrit te parkeren,' zegt hij.

'Ik zeg toch, het is helemaal niks die bussies,' zegt Jacco. 'Net koekblik.'

Maar dan beginnen ze, alsof het is afgesproken, ineens snel

weg te lopen. De voetbal nemen ze mee. Ik denk dat ze naar de snackbar gaan.

Ik ben al half op weg achter ze aan, als ik een hand op mijn schouder voel.

'Dát dacht ik niet.' Katie blaast een grote rose kauwgumbel die bijna tegen mijn wang spat.

'Lieve schat,' begin ik, zoals mijn moeder soms zegt als ze me streng gaat toespreken.

Maar Katie laat me niet uitpraten. 'Ik ben jouw schat niet,' snauwt ze.

Ik klap mijn mond dicht. Ze heeft gelijk, ik had beter 'stomme trut' kunnen zeggen.

'Ga jij nou maar terug naar je eigen vriendjes,' zegt Katie.

'Maar Jacco...' Vanuit mijn ooghoek zie ik de jongens de hoek om gaan. Jacco kijkt even om, maar loopt dan toch door.

'Nee, hoor,' zegt Katie. 'Van Jacco blijf je af met je poezelige handjes.'

Wie heeft er nou poezelige handjes? Ik kijk naar de gelakte nagels die als klauwen in mijn schouders staan.

'Daar ga jij niet over,' zeg ik met een gejaagde stem. Ik heb nog nooit zo'n eng meisje gezien, nog nooit. Waarom komt Jacco nou niet terug?

Katie boort haar ogen in de mijne. Ik zie gouden stipjes in het blauw. Onder haar ogen is het een beetje rood, met pukkeltjes.

'Krijg de tering,' zegt ze langzaam. En dan laat ze me eindelijk los.

Ik sta te tollen op mijn benen, mijn handen worden helemaal koud van schrik. Niemand zegt ooit zulke erge dingen tegen mij, niemand!

Als mama boos op me is zegt ze weleens streng: 'Vervelende meid!'

En toen Annabel laatst heel boos was met die kermis zei ze 'trut' tegen mij.

Maar daar kan ik heus wel tegen. Terwijl dit...

Ik ben echt het zieligste kind op aarde. Die afschuwelijke rot-Katie! Ze zal er nog spijt van krijgen. Spijt als haren op dat geverfde hoofdje, spijt als de pukkels op haar kin, als...

'Gaat het, meisje?' Ik kijk op, ik merk nu pas dat ik huil.

Katie is weg, maar er staat een mevrouw met een fiets naast me.

Ik slik. 'Ja hoor,' zeg ik, 'het gaat best.'

'Weet jij misschien wie die auto zo heeft toegetakeld?'

Ik kijk opzij. O ja, dat busje.

'Ze heet Katie en ze woont hier in de flat,' zeg ik snel. Dan draai ik me om en loop naar huis.

– Wat fijn dat we zo'n grote dochter hebben –

Heb ik eens een keer zin om thee te drinken met mama, is ze er niet!

Op tafel ligt een briefje.

Lieverd, papa en ik zijn naar een vergadering van de woongroep. Rosa komt straks. Er staat eten in de ijskast, liefs mama.

Daarnaast ligt een ander briefje:

Lieve Rosa, er staat eten in de ijskast. Wij zijn laat thuis. Joni moet goed tandenpoetsen (had vier gaatjes laatst bij tandarts!). Veel plezier en tot straks.

Ik pak een paar koekjes uit de trommel die naast de briefjes staat. Alweer! Het gaat echt niet goed met de woongroep, want er zijn steeds minder feestjes en steeds meer vergaderingen. Mama heeft bijna elke avond koppijn en dan is papa er niet. En het ergste is: nu moet ik dus weer een avond alleen naar bed.

Het is stil in de keuken. Alleen de schildpadden bonken

onrustig in hun bak. Zouden ze honger hebben? Dan is het echt mis, als mama haar schildpadden vergeet.

Voorzichtig laat ik het koekkruimels regenen boven de bak. De schildpadden doen hun bekkies open. Het ziet er grappig uit, ik pak nog een koekje. 'Alleen sla,' zegt de stem van mama in mijn hoofd, 'en appelschilletjes. Schildpadden hebben een gevoelige maag.'

Als toetje geef ik ze een douche van hagelslag. Dan zie ik Rosa, de oppas, aankomen op haar fiets.

Rosa heeft heel lang haar en een wit gezicht. Ze heeft altijd van die lange spiegeltjesrokken aan. Ze zwaait naar me en komt nét niet met haar sjaal tussen de spaken van haar fiets.

'Wat heb je vandaag voor vraag?' zegt ze als ze de keuken in komt.

Rosa wil altijd grotemeisjesdingen aan me uitleggen. Hoe zoenen gaat, wat beter is: wel of geen beha en hoe je een tampon moet inbrengen (dat zou ze geloof ik het liefst ook nog voordoen).

Maar deze keer heb ik geen zin om met haar te praten. Ze was er gisteren ook en drie dagen daarvoor ook. Zo leuk vind ik Rosa nou ook weer niet.

'Even kijken wat je moeder vandaag heeft gekookt,' zegt Rosa. 'Mmm, macaroni.'

'Ik lust geen macaroni.'

Rosa kijkt verbaasd opzij. 'Wat ben je ongezellig.'

Ik denk aan Katie met haar stomme gescheld. Zal ik het Rosa vertellen? Nee, dan gaat ze er weer eindeloos over praten, daar heb ik geen zin in.

'Ik vind het gewoon stom dat papa en mama alweer weg zijn,' zeg ik dan maar.

Rosa aait even over mijn hoofd. 'Dat heb je nou eenmaal met zo'n vader. Hij is een geweldige man, Joni, vol goede ideeën. Zo iemand heeft altijd veel mensen om zich heen. Ik zou maar trots op hem zijn.'

Ik zeg niks.

‘En jij bent gelukkig al groot,’ zegt Rosa. ‘Jij kunt goed op jezelf passen.’

Precies wat papa altijd zegt. Je wordt al zo groot, Joni. Wat fijn dat we zo’n grote dochter hebben, Joni. Zo’n dochter die alleen thuis kan blijven. Die zelf weet wanneer ze naar bed moet. Die Rosa zo goed kan helpen...

Maar vandaag dus niet.

Ik ga naar mijn kamer en kom pas weer beneden als ik honger heb.

Rosa heeft een schildpad in haar hand. ‘Weet jij wat die zwarte troep in de bak is?’ vraagt ze.

Geplette hagelslag met schildpaddenplas, denk ik. Maar ik zeg: ‘Poep.’

‘Zo zwart?’

‘Dat hoort zo.’

‘Hm,’ zegt Rosa. ‘Als ze maar niet ziek zijn.’ Ze zet de schildpad weer neer en wast heel lang haar handen. ‘Zullen we samen tv-kijken?’ vraagt ze.

Ze zoekt een muziekprogramma op. Meestal kijk ik dat met papa. Maar vandaag, met Rosa en een bord macaroni op schoot, is het ook leuk.

Er is een heel gaaf tekenfilmpje van een verliefde kikker, dat Rosa en ik allebei geweldig vinden. De danseres die daarna komt, vinden we allebei stom. Rosa zegt dat echte vrouwen helemaal niet zo dansen, maar dat snap ik niet helemaal.

En aan het eind komt er een oude clip van Abba! Ik vind die blonde zangeres zo knap.

Dus als ik naar bed ga, ben ik wel weer vrolijk. Rosa komt nog een tijdje bij me zitten en vertelt over de leraar op haar middelbare school waar ze verliefd op is.

‘Dus toen ging ik naar hem toe en toen zei ik: “Ik heb over je gedroomd, Peter.” En toen zei hij: “Gedroeg ik me een beetje netjes?” En toen zei ik: “Eh nee.” En toen werden we allebei vuurrood,’ giechelt ze.

‘Wie is er nou verliefd op zijn meester?’ zeg ik.

‘Waarom niet?’ vraagt Rosa. ‘Dat zijn toch ook mensen.’

‘Mijn meester niet,’ zeg ik. Ik kan me niet voorstellen dat er ooit iemand verliefd zou zijn op meester Frans.

Ik probeer Rosa zo lang mogelijk bij me in de kamer te houden en stel de ene vraag na de andere.

‘Hoe weet je eigenlijk of je verliefd bent?’

Rosa glimlacht. ‘O, dat weet je wel. Dan ben je helemaal slap en raar. En je kunt niets meer eten van ellende.’

‘Wanneer was jij voor het eerst verliefd?’

‘In de brugklas,’ zegt Rosa. ‘Op een meisje.’

‘Op een meisje???’

‘Ja, dat is toch niet zo gek?’

Ik haal mijn schouders op. ‘Ging je daar dan ook mee zoenen?’

Rosa knikt en ik trek een vies gezicht. ‘Waar smaakt zoenen naar?’

‘Naar spuug,’ zegt Rosa.

‘En jij vindt dat lekker?’

Rosa giechelt. ‘Nee hoor, niet altijd. Ik heb wel eens iemand gezoend die smaakte naar oude chips. Je weet wel, van die chips die zacht zijn geworden.’

‘Gadver.’

Rosa staat op en zegt dat ik nu echt moet gaan slapen. ‘Ik moet nog huiswerk maken.’

Ik ben klaarwakker. Waarom moeten mensen eigenlijk slapen? Waarom heb ik geen zusje, een broertje desnoods? Het is altijd zo oorverdovend stil als Rosa beneden zit.

Ik durf niet naar haar toe te gaan. Eén keer heb ik dat gedaan en toen lag Rosa heel raar onderuitgezakt te roken.

Waarom moeten papa en mama altijd samen naar de woongroep, denk ik. Papa kan toch ook bij mij blijven in plaats van bij Tilly? Ik ben toch zijn eigen ‘grote kleine meisje’?

Misschien moet ik ook heel goed worden in kunstwerken, denk ik slaperig. Zal ik morgen een beroemd boek schrijven?

Of zeggen dat ik iets samen met papa wil gaan doen? Iets wat mama niet durft: paardrijden bijvoorbeeld. Of naar een klimmuur, misschien wel parachutespringen...

Ik sta op en schrijf een lange brief aan papa en mama dat ik ze zo mis. Dat helpt. Ik doe er heel lang over. *'Maken jullie me alsjeblieft alsjeblieft alsjeblieft nog even wakker als jullie thuiskomen???'* schrijf ik en ik teken duizend kusjes.

Zachtjes sluip ik over de gang om de brief bij papa en mama op hun kussen te leggen, dan weet ik zeker dat ze hem zien. Bijna halftwaalf, zie ik op de wekker. Komen ze nou nog niet thuis?

Maar dan hoor ik iets. Onze auto maakt een heel speciaal geluid, een beetje hoog en gierend.

Ik loop naar het raam en gluur naar beneden, de straat in. Ja hoor, daar zijn ze. Rosa heeft het ook gehoord, want nog voordat mama bij de deur is, zwaait die al open.

Stemmen waaien door de stille nacht omhoog. 'Ging het goed?' 'Ja, heel goed.' 'Ligt ze lekker te slapen?' 'Ja, al heel lang. Hoe ging de vergadering?' Brommerdebrom (onverstaanbaar). 'Wacht even, dan pak ik je geld.'

Terwijl mama naar binnen loopt om haar portemonnee van de fruitschaal te pakken, zie ik papa en Rosa tegenover elkaar staan. Papa doet de autodeur van mama weer open, want hij moet Rosa naar huis brengen. Dan komt ze haar fiets altijd de volgende dag ophalen. Hij buigt zich een beetje naar Rosa toe en ze kijkt stralend naar hem op. Ik hoor haar aan één stuk door giechelen.

Dat klopt niet, denk ik. Rosa heeft me vaak genoeg verteld over mannen en vrouwen. Dat je als vrouw (en daar bedoelt ze mij ook mee) niet anders moet doen als er een man in de buurt is. 'Zo belangrijk zijn mannen helemaal niet,' zegt Rosa, 'al denken ze van wel.'

Maar nu doet Rosa zelf anders. Ze zit steeds aan haar haren en haar stem klinkt als die van een klein meisje. Ik duw het raam nog iets verder open.

'… misschien een keer interviewen voor de schoolkrant?' zegt Rosa.

'Prima,' zegt papa.

Rosa giechelt weer. 'Eh… zal ik je dan morgen even bellen?'

'Of je komt even langs op de praktijk,' zegt papa.

'Mag dat? Echt?' Wat een irritant babystemmetje!

Gelukkig, daar is mama alweer. Ze geeft Rosa geld en een zoen. En dan scheurt papa er met Rosa vandoor en blijven mama en ik achter.

Ik loop meteen de trap af.

Mama staat bij de schildpadden en veegt de bak schoon met een doekje. De schildpadden piepen naar haar. Ze zien er niet ziek uit. 'Hé lieverd,' zegt mama, 'hebben we je wakker gemaakt?'

'Mama.' Ik sta bijna te huilen.

'Kom,' zegt ze, 'ik breng je lekker naar bed.'

Boven gaat ze op mijn bed zitten en trekt de dekens tot aan mijn neus. Ze stinkt heel erg naar sigaretten. Ik wou dat papa ook kwam.

'Mama,' vraag ik, 'vind jij het wel leuk om in een woongroep te wonen?' Het is de eerste vraag die in me opkomt.

'Ja hoor,' zegt ze. 'Dan wonen we lekker dicht bij onze vrienden. En we kunnen elkaar helpen. Als er bijvoorbeeld iemand ziek wordt, kunnen de anderen boodschappen doen.'

'Het zijn niet jouw vrienden, het zijn papa's vrienden.' Ik heb zin om dit te zeggen, ook al klinkt het niet al te aardig.

'Hoe bedoel je?' vraagt mama.

'Nou, ze komen allemaal voor papa. Hij kent ze omdat hij dokter is, of van de acties. Ze komen niet voor jou.' Ik denk aan wat Rosa heeft gezegd: 'Zo iemand als jouw vader heeft altijd veel mensen om zich heen.'

'Maar het zijn ook mijn vrienden geworden,' zegt mama zacht.

Ik kan niet goed tegen die treurige stem die ze nu opzet. 'Hou je eigenlijk wel van papa?' vraag ik hard.

'Meer dan van wie ook,' zegt mama.

'Ook meer dan van mij?'

'Anders,' zegt mama. Waarom wist ik al dat ze dat zou zeggen? 'Ik hou anders van jou dan van papa. Maar ik hou ook heel veel van jou.'

'En papa? Houdt die ook zoveel van jou?'

Mama gaat op haar andere bil zitten. 'Waarom vraag je dat?'

Ja, waarom vraag ik dat? 'Weet ik veel, omdat hij er nooit is bijvoorbeeld.'

'Vind je dat papa er te weinig is?' vraagt mama, weer met die zachte, treurige stem.

'Nee,' zeg ik boos.

Mama staat op. Ze heeft de auto gehoord, net als ik. Papa is weer terug, gelukkig lekker snel. 'Je vader is een heel bijzondere man,' zegt ze en nu klinkt ze net als Rosa.

Dan loopt ze snel mijn kamer uit.

Nummer 1, nummer 1, nummer 1

Het is bomendag vandaag. Bomen voor bakstenendag.

Omdat het zaterdag is, heeft papa geen dienst. Hij en mama zijn ook naar het landje gekomen, net als Tilly. Bas en Martijn zitten niet op mijn school, maar toch mogen ze meehelpen met bomen planten. De spandoeken klapperen in de wind. Het ziet eruit of het elk moment gaat regenen.

Vuur en vlammen voor elke staat staat er op het T-shirt van meester Frans. Elke keer als ik dat zie moet ik aan het plan van mij en Jacco denken. Ik heb er buikpijn van, zo eng vind ik het. Alleen... waar is Jacco eigenlijk?

Terwijl iedereen met mooie nieuwe scheppen het landje op stapt, speur ik naar een jongen met zwart haar.

'Joni!' Meester Frans wijst naar me met een schep. 'Ga je ook meedoen?'

'Ja, meester.' Ik ga dichtbij Annabel staan. 'Heb jij Jacco gezien?'

Annabel schudt haar hoofd. Ze is druk aan het graven.

Verderop staan de bomen die we gaan planten in plastic zakken. Volgens mij zijn ze allemaal dood. Ze zijn klein en miezerig en er zit geen enkel blaadje aan. Sandra staat ernaast, samen met Ouave, en ze lachen naar de meneer van de krant, op een kinderachtige manier.

'Dit wordt een prachtig bos,' hoor ik Sandra zeggen. 'Daar kunnen we in spelen met onze honden.'

Ik lach hard. Sandra heeft niet eens een hond, dat mag ze niet van haar vader.

En Ouave doet voor de foto alsof ze in een boom gaat klimmen met haar dikke beentjes. Het ziet er niet uit.

Dan ineens zie ik het. De autoband van Jacco is weg. Nu al! Dat vind ik zooo flauw! Hebben dus kennelijk de meesters of wie dan ook vannacht snel het landje even leeggemaakt. Er lagen vast nog allemaal spullen van Jacco in die auto.

'Wat een rotstreek dat die hut weg is,' zeg ik tegen Annabel.

Maar die haalt haar schouders op. 'Zo is het wel mooier,' zegt ze.

Ik staar haar aan. Zijn ze allemaal gek geworden? Dat gepraat van: 'O, wat zijn we toch goed, wat een fijn bos gaan we planten...' Eigenlijk is het helemaal niks. Een spookbos van dode bomen. Ziet niemand anders dat dan ik?

En waar is Jacco toch? Die kom je nooit tegen bij acties, die heeft gewoon ouders die aan het werk zijn, denk ik.

'Joni!' hoor ik.

Bas en Martijn planten samen een boom. Naast hen staan een paar vrienden van Jacco.

Dat ziet er raar uit. De vrienden van Jacco hebben gewone kleren aan. Maar Bas en Martijn dragen allebei kleren die Tilly heeft gemaakt. En hun haren zijn ook veel langer en rommeliger. Konden ze die niet even kammen?

'Jullie zijn eruit, hè?' zegt Bas tegen mij.

'Waaruit?' vraag ik. Ik zie dat de vrienden van Jacco meeluisteren.

'Uit de woongroep natuurlijk.'

'Woongroep?' vraagt een van de jongens. Zie je, daar heb je het al. Een woongroep is niet stoer, dat zie je zo.

De paarse broek van Bas wordt vies van de aarde en Martijn worstelt met een spichtig boompje dat steeds omvalt. Hij lacht naar me. Maar ik denk alleen: waarom wist ik niet dat de woongroep niet doorging? Ik was er heus niet zo dol op, maar ik wil wel graag weten waar ik wel en niet bij hoor.

'Het komt door jouw vader,' zegt Bas.

'Wat? Dat we niet meer in de woongroep zitten?' Dat klinkt pas echt belachelijk. 'Mijn vader is altijd met die woongroep in de weer!'

'Ja precies. Jouw vader wilde een beetje teveel de baas zijn, zegt Tilly.'

‘O,’ zeg ik. Van pure verbijstering blijft de rest van de woorden steken in mijn keel. Wat denkt die stomme Tilly wel: eerst lekker met mijn vader naar het strand en hem dan zomaar uit de woongroep zetten! Dus dáárom was papa de laatste tijd zo chagrijnig. En dáárom keek mama zo verschrikt naar papa toen ik vanmorgen vroeg of de mensen van de woongroep ook bij de actie zouden zijn.

‘Maar het komt gewoon omdat hij een man is,’ zegt Martijn geruststellend. Hij laat zijn boompje los en het valt meteen weer om.

‘Wát?’ Ik zie de vrienden van Jacco nog steeds met grote ogen toekijken, maar ik moet het vragen:

‘Dus Tilly vindt mijn vader nu stom?’

‘Nee, dat nou ook weer niet,’ zegt Bas met een soort onnozele grinnik waar ik woest van word.

‘Wij gaan nu bij een andere woongroep, van alleen maar moeders,’ vertelt Martijn trots.

‘Een woongroep van alleen maar moeders?’ Ik wist niet eens dat zoiets bestond.

‘Ja, dat wil Tilly eigenlijk al heel lang. Het zijn vriendinnen van haar met wie we ook vaak op vakantie gaan. Olga van de boekwinkel is er ook bij.’

‘En waar is die woongroep dan?’ vraag ik, terwijl ik zie dat Jacco’s vrienden Bas en Martijn staan na te doen. Ze draaien zogenaamd slierten haar om hun vinger, net zoals Bas altijd doet.

‘Gewoon, in dat nieuwe huis,’ zegt Martijn.

Bas geeft hem een zetje, hij heeft de jongens ook gezien. ‘We gaan een stukje verderop,’ zegt hij tegen zijn broer.

Dus die vrouwen zonder mannen pikken ons huis van liefde en vrede ook nog in? Wat ontzettend gemeen!

‘Een woongroep van alleen maar moeders. Jezus, wat belachelijk,’ zeg ik keihard tegen Jacco’s vrienden. Ze lachen en roepen ‘Mietjes!’ naar Bas en Martijn.

Vanaf een afstand sta ik te kijken naar het gegraaf. Het gaat best snel. De ene boom na de andere gaat de grond in.

Als alles klaar is, gaat iedereen naar het buurthuis naast de school. Daar hebben ze erwtensoep gemaakt. De damp staat op de ramen. Ik zie papa, hij vertelt een of ander verhaal en er staat alweer een grote kring mensen om hem heen. Nog even en we hebben een nieuwe woongroep, denk ik. Het gelach tuit in mijn oren. Mama loopt rond met soepkommen en heeft rode wangen.

In het halletje zijn een paar jongens aan het voetballen, een daarvan is Jacco. Eindelijk!

Ik ga staan kijken. Niemand zegt iets, maar ik weet gewoon dat Jacco me ziet. Volgens mij gaat hij meteen meer zijn best doen.

Eén van de jongens schiet een beetje hoog. Ik spring opzij en grijp naar mijn hoofd.

'Niet op gezichten schieten,' roept Jacco.

'Dat deed ik niet,' zegt de jongen, 'maar zo'n neus als die van haar is moeilijk te missen.'

Ze schieten in de lach, ook Jacco. Ik doe alsof ik ook moet lachen, maar ik schud snel mijn haar naar voren. Die stomme rotneus altijd!

Dan gebeurt er iets geks. Ik zie mezelf daar staan, alsof ik naar een film kijk. Het halletje is klein en bruin en de tegels op de vloer en aan de muren hebben niks moois in zich. Het voelt een beetje viezig in de lucht, als natte jassen die nog niet droog zijn, en dan toch weer naar buiten moeten. Ik zie de jongens voetballen, de bal kan eigenlijk geen kant op. *Net als wij,* denk ik. Het ruikt echt ontzettend smerig naar erwtensoep. Is er een geur die viezer is dan erwtensoep als je geen honger hebt?

Ik krijg spontaan hyperventilatie. Niet echt natuurlijk. Sandra heeft dat soms. Dan kan ze niet meer ademhalen en dat is altijd een heel gedoe met plastic zakjes. Maar nu heb ik ook een plastic zakje nodig, want de lucht wordt zomaar zwaar en taai in mijn borst. Ik stik! En mijn ogen snakken naar iets fels. Turquoise! denk ik. Barbapapa-roze! Alles, maar niet dat ik nu hier ben, in dit bruine platte buurthuis zonder trappen, omringd door dat stomme geklets van al die grote mensen dat maar niet ophoudt, dat nooit ophoudt, de ramen dicht, *en die erwtensoep*!

Ik gooi de buitendeur open, het kan niet anders, een koude lucht komt naar binnen. Maar wat ik daar voor me zie maakt me ook al niet blij. Omgewoelde grijze aarde met steentjes en glasscherven erin. Een geur van oude dweilen. En dan die boompjes. Als broodmagere bejaarden staan ze daar in een idiote rij, zo lelijk!

Ik zie mezelf nog steeds staan, in de wind: ik, Joni, nummer 1 op school, nummer 1 in pikken en ook in gekke plannetjes verzinnen en stoere dingen doen.

Nummer 1, nummer 1, nummer 1. Waarom ben ik dan niet blij?

Ik denk aan het pikken. Het fijne gevoel dat je daarvan krijgt, duurt ongeveer net zo kort als een roze kauwgumpje lekker is. Al heel gauw verandert dat in een taaie lap waar je kiezen moe van worden. Zo is het ook met gevaarlijke dingen. Na twee keer is de lol er eigenlijk al vanaf en wordt het gedoe.

Want dan ben je nummer 1, en dan?

'Joni, wat is er?' Jacco staat naast me en gooit de bal achteloos over zijn schouder naar de andere jongens.

'Niks.'

'Op wie ben je boos?'

'Ik ben helemaal niet boos,' zeg ik, maar het voelt anders. Alsof ik zin heb om iemand te slaan, zomaar, en hard ook nog. Die rotboompjes!

'Gaan we ons plan nou nog doen?' zeg ik, zonder Jacco aan te kijken.

'Mijn hut is weg,' zegt Jacco, alsof hij het nu pas ziet.

'Zei ik toch?'

Jacco knikt. 'Balen,' zegt hij.

'Ik heb nog nooit zo'n lelijk bos gezien,' zeg ik. Ik haal diep adem, de buitenlucht prikt in mijn keel.

Jacco geeft me een zetje. 'Het fikt vast lekker,' zegt hij, 'al dat hout.'

Ik kijk hem aan of hij het meent. 'Dus jij wil nog steeds...?'

'Als jij het wilt,' zegt Jacco. Het klinkt als een grapje.

Ik haal nog een keer adem. Langzaam drijft de erwtensoepgeur van me weg. Mijn haren in de wind, lekker.

'Nu?' vraag ik aan Jacco, heel zachtjes maar hij hoort het toch.

Hij draait zich om en zegt: 'Even mijn jas pakken.'

Meent hij dat nou? Ik geloof er niks van. Jacco haalt nu vast zijn vrienden op en dan gaan we gewoon een beetje keten.

Maar als hij terugkomt, is hij nog steeds alleen.

'Hoe gaan we het doen?' vraag ik zakelijk. Ik verwacht bijna dat hij ter plekke een aansteker te voorschijn haalt.

'Eerst naar de garage,' zegt Jacco. 'Daar staat de benzine.'

Nu geloof ik hem eindelijk. We kunnen dit dus gewoon gaan doen. Een groot vuur maken. Durf ik dat, durf ik dat echt?

Terwijl we van het buurthuis weglopen, schopt Jacco tegen alles wat voor zijn voeten komt. Steentjes, oude blikjes, dennenappels. Af en toe ketst het ergens tegenaan. Dan juicht hij voor zichzelf.

Maar ik denk alleen maar: een bos in brand steken, dat durft niemand. Behalve ik. Ik ben kampioen allesdurver. Weer een nummer 1-positie.

Waarom voelt het dan alsof ik Tilly's mislukte gezondheidscake heb gegeten: als een klont in mijn maag? Waarom ben ik nog steeds niet blij?

– Is er iemand die me mist? –

Jacco toetst een code in en de deur van de garage klikt open. Binnen is het schemerig donker. Er staan een paar auto's met de motorkap open. Jacco loopt naar een hoek. 'Hier staan de jerrycans.'

'Waar is je vader?' fluister ik.

'Thuis voor de tv. We zijn niet open op zaterdag.'

'En hij merkt er niks van als je benzine pikt?'

'Mijn pa? Nee hoor. Hier, kan je er twee dragen?'

De jerrycans zijn loodzwaar. 'Eh...'

Jacco kijkt naar me en schudt zijn hoofd. 'Wacht maar, er is hier ergens nog zo'n karretje.'

Hij verschuift wat dozen en dan staat daar ineens een boodschappenwagentje van de supermarkt. 'Beter?'

Ik smelt van zijn trotse blik. 'Heel goed,' zeg ik en we laden het wagentje vol met benzine.

'Vier, vijf, zes, dit moet genoeg zijn,' zegt Jacco.

Genoeg voor wát? Hoe groot wordt zo'n vuur eigenlijk? Ik word ineens duizelig. Waar ben ik mee bezig?

'Jacco, ik...' De geur van benzine prikt in mijn ogen en ik knijp ze dicht.

'Wat is er?'

'Ik ben...' bang voor vuur wil ik zeggen, maar ik hou me in.

'Je trilt helemaal.' Jacco's stem komt ineens van heel dichtbij. Ik durf mijn ogen niet meer open te doen.

'Joni?' zegt Jacco. 'Gaat het wel?'

Ik haal raar bibberig adem.

En dan... voel ik zijn arm om mijn schouders.

Het trillen stopt meteen. In plaats daarvan word ik superblij en gewichtloos, alsof we samen onder water zijn, Jacco en ik. Warm, zacht water. Stop de tijd! Laat me zo tegen Jacco aan blijven staan, voor altijd en eeuwig.

Het duurt misschien tien seconden. Onze ademhaling gaat precies tegelijk, een klein beetje sneller dan normaal.

'Van mij hoeft het niet, hoor, die brand,' zegt Jacco dan.

Waarom moet je altijd weer boven water komen?

Ik doe mijn ogen open en Jacco glipt bij me weg. Zijn arm zwiept langs zijn lichaam alsof die nooit om mij heen is geweest.

'Durf je niet meer?' vraag ik. Mijn stem klinkt schel.

‘Mij maakt het niet uit,’ zegt Jacco. En dat meent hij ook nog, zo te zien.

‘Wat bedoel je? Dat we het niet moeten doen?’

Jacco haalt zijn schouders op.

Ik haal diep adem. Nee, we hoeven dit niet te doen. Ik kan ook gewoon weglopen, teruggaan naar het buurthuis, naar... ja, naar wie eigenlijk? Is er iemand die me mist? Sandra niet, Annabel niet, papa en mama al helemaal niet.

Dat is geen leuke gedachte. De afgelopen tijd is mijn leven er alleen maar stommer op geworden. Terwijl ik toch zoveel stoere dingen heb gedaan: ingebroken in school, in het water gesprongen, gevaarlijke dingen met Jacco en zijn vrienden.

‘En Katie?’ vraag ik.

Jacco kijkt verbaasd. ‘Wat is er met haar?’

Ja, wat is er met haar? Ik vraag me zelf ook af waarom ik die vraag heb gesteld.

‘Zou Katie het durven?’ vraag ik dan maar.

‘Katie?’ zegt Jacco en daar is zijn vrolijke lach weer. ‘Keet zou veel te bang zijn dat haar lange nagels afbreken.’

Nou wil ik eigenlijk ook niet dat mijn nagels breken, want ik ben ze zo lang mogelijk aan het laten groeien. Maar daar gaat het niet om. Het is hoe Jacco ‘Keet’ zegt. Jacco hoort bij Katie, dat zie ik ineens heel duidelijk. Bij Katie en al die jongens van de flat. Ze praten hetzelfde, eten hetzelfde soort snoep, wonen in dezelfde buurt – en zeker niet in een woongroep. Jacco en zijn voetbalvrienden die rondhangen bij de snackbar en schietspelletjes doen, die ‘krijg de tering’ tegen hun vijanden zeggen... dat zijn mijn vrienden niet – niet echt. Hoe kan het dat ik dat nog niet eerder heb gezien?

Dus uiteindelijk raak ik Jacco ook kwijt, denk ik.

Ik kijk naar hem. Hij duwt het wagentje met de benzine heen en weer tussen twee autobanden. Het is een soort spelletje: hij probeert ze steeds net niet te raken. Mij lijkt hij alweer vergeten.

En plotseling snap ik iets, zo duidelijk alsof het licht aangaat: het gaat er helemaal niet om dat je met zoveel mogelijk dingen nummer 1 bent. Het is veel fijner om nummer 1 *voor iemand* te zijn.

Zoals zijn vrienden dat zijn voor Jacco. Zoals Annabel dat is voor Sandra – en andersom, al lang voordat ik vriendinnen met ze werd. Misschien was ik voor hen een tijdje nummer 1, maar nu sta ik niet meer op de eerste plaats, helaas.

En papa en mama dan? Voor mama is papa nummer 1, dat ziet een blinde. Als hij blij is, is zij dat ook, zo simpel is het. Wie voor papa nummer 1 is, weet ik niet zo goed, ik durf er niet te lang over na te denken. Maar ik ben het niet, volgens mij.

De gedachte komt aan als een klap.

Ik ben voor niemand nummer 1.

Ik ben alleen maar een rotkind – een rotkind met een grote lelijke neus.

Het raast in mijn hoofd. Ik, Joni, voor niemand nummer 1. Het is waar, nog nooit zag ik het allemaal zo duidelijk.

Ik kan twee dingen doen nu. Het eerste is huilen. Dat doe ik niet. Waar Jacco bij is nooit!

'Jacco?' zeg ik. Ik ben niet meer duizelig.

Hij kijkt op. 'Ja?'

'Kom op. We gaan een vuurtje maken.'

– Het houdt niet op! –

Als we terugkomen bij het landje, is daar nog steeds niemand. Er is een kil windje opgestoken en de lucht is dik en grijs.

Jacco draait de dop van een benzinetankje en kiepert het om over één van de nieuwe boompjes. Het druipt over de takken. Zo maken we alle jerrycans leeg.

'En nu?' vraag ik.

'Nu steken we het aan.' Jacco haalt een doosje lucifers tevoorschijn. Is het echt zo simpel?

‘Mag ik het doen?’

Jacco geeft mij het doosje.

Ik kijk om me heen naar de natte bomen, en dan naar de lucifers in mijn hand. Ik voel me raar.

Een tijdje geleden moest er een melkkies bij mij getrokken worden. Toen was mijn mond uren verdoofd. Precies zo voelt het nu in mijn hele hoofd. De gedachten die net nog woest voorbijraasden als stormwolken, hangen nu traag en grijpbaar voor me. Joni met de neus is voor niemand nummer 1. Er ligt nog steeds een huilbui op de loer – en ook iets zwaars. Ik ben de wolf die de stenen heeft opgegeten. Rotkind of niet, het maakt dus allemaal niets uit...

De lucifer verbrandt mijn vinger maar die pijn is wel lekker. Ik zal ze leren, denk ik, al weet ik niet precies wie ‘ze’ zijn.

De lucifer gaat uit.

‘Je moet het bij die takken daar houden,’ zegt Jacco. ‘Daar heb ik extra veel benzine op gedaan.’

Ik loop tot vlak voor de boom. De benzinegeur is verstikkend en ik moet bijna kokhalzen.

IK ZAL ZE LEREN!

‘Niet té dichtbij,’ zegt Jacco. Hij kijkt voor de verandering eens een keer serieus. Zijn ogen zijn strak gericht op het doosje lucifers in mijn hand.

Deze lucifer breekt af.

‘Joni?’ zegt Jacco.

‘Hm?’

‘Dit gaat heel groot worden.’ Jacco gebaart naar de boompjes.

Mooi, denk ik. Ben ik straks ook nummer 1 in vuur maken.

De derde lucifer schiet aan. Ik bescherm hem met mijn handen. Dan leg ik hem heel voorzichtig in een kuiltje tussen twee druipende taken.

Woesj!

Net op tijd spring ik achteruit. Vlammen. Vuur! De tak, de stam, binnen enkele seconden staat de hele boom in brand. Het ziet er gezellig uit, net als de oranje vlammen in de open haard.

Ik begin keihard te lachen. 'Jacco! Het brandt, het brandt echt!'

'Ja, wat dacht jij dan?'

We hebben een vuur gemaakt, een echt vuur!

'Brand in Mokum!' zing ik. Dat is een of ander stom lied dat mijn ouders en ik altijd zingen bij lange autoritten. 'Brand in Mokum. Brand! Brand!'

'Brand, brand!' roept Jacco ook.

Wat een goed vuur! Ik ren naar achteren en spring en gil. En Jacco begint ook al rond te rennen. Het vuur is groot en het schiet naar voren, net een drakentong. Ik voel de warmte op mijn gezicht en ik ben niet eens bang. Waarom zou ik ook, dit vuur is vrij en ik ook. We kunnen alle kanten op! Dat is geweldig.

Jacco en ik dansen als indianen, alles om ons heen is oranje. Van dat felle oranje dat alles wat eerst grijs was in een gloed zet en mooi maakt.

'Brand, brand! Brand, brand!'

'En daar gaat de volgende,' roept Jacco. Boom nummer twee vliegt in brand, en boom nummer drie ook. Het kraakt en sist voor ons. De vlammen gaan hoger en hoger.

'Hoe ver gaat het door?' schreeuw ik.

Jacco gooit zijn handen in de lucht. 'Het vuur is de baas.'

Het is nu één groot geknetter en geraas om ons heen.

'Maar...' – ik moet nu echt hard schreeuwen om mezelf verstaanbaar te maken – 'maar waar houdt het op?'

'HET HOUDT NIET OP!' roept Jacco.

Ik blijf met een schok stilstaan. Stop, wacht! Draai alles terug, er gaat hier iets hartstikke verkeerd! Het mooie vuurtje is toch een enge brand, de lekkere warmte wordt een benauwende hitte. Jacco heeft gelijk, het vuur is de baas. Dit is geen tong meer, er is een hele draak uit de grond omhoog gekomen! Hij hapt en raast en verslindt de ene boom na de andere. Het hele landje is één vuurzee. En Jacco en ik zijn twee stipjes, weerloos, klein. Ik moet keihard opzij rennen om niet te verbranden.

Brand, brand! Brand, brand! En daar is geen water. Water, denk ik, water? Water!

'HELP!'

Ineens zijn er ook allemaal mensen. Waar zijn die vandaan gekomen? Ze slaan hun handen voor hun mond, ze schreeuwen naar elkaar. Iemand heeft een tuinslang. Het zijn de kinderen uit mijn klas. Ik zie Annabel, ze gilt heel hard. En mijn moeder komt aanrennen.

'Bel de brandweer!' roept iemand.

'Joni!'

Ik wil wel naar mama toe rennen, maar ik heb iets gezien.

Er rent zomaar een vuurmannetje voor me. Het vuur heeft hem te pakken gekregen, is om hem heen gekomen. Ik zie het, maar ik snap het nog niet. Is dat... is dat JACCO?

Iemand brult.

De dolle tweeling, het verhaal van de dievenleidster Rode Zora dat mijn vader me heeft voorgelezen, ik zit nu zelf in een boek. Er is een kolkend oranje avontuur met mij aan de haal gegaan. Spannend, supergroot, een ontploffende vulkaan.

'Joni, kom snel!'

Maar Jacco. Het vuur eet hem op!

NEE! Het is diezelfde boosheid als toen ze me probeerden uit te kleden achter de school. DIT NIET!!!

Niet Jacco, niet met dat vuur aan hem. Zo moet het niet aflopen, niet zo lelijk, niet zo eng.

Ik begin te rennen, het vuur komt heel dichtbij, maar ik ren er nu juist op af. Ik ruik een afschuwelijke stank van iets wat verkoolt, smelt, wegrot in het vuur.

'JONI!'

Aan de rand van het landje staan nog steeds de spandoeken, zie ik. Grote, zware lappen. Zonder erbij na te denken grijp ik er een en ren op Jacco af.

Nu zijn we samen middenin het vuur. Dit is mijn ergste nachtmerrie. Ik sta in een oranje huis dat smeltend heet is en brult en hapt. Weg weg weg! roept het in mij, maar toch ga ik door.

Hoe weet ik dat ik dit moet doen? Ik doe het gewoon: ik rol het spandoek uit. Het is dat van Sandra zie ik. Bomen. Dromen. Ik begin Jacco helemaal in het laken te wikkelen. Ik wil dat het uitgaat, dat dat stomme vuur op hem uitgaat! Mijn handen sissen, maar het lijkt net alsof dat iemand anders' handen zijn.

Jacco brult. Maar hij brandt niet meer. En ik grijp Jacco vast en ren zoals ik nog nooit gerend heb. Ik sleur hem met me mee als een of andere loodzware zak. Dat gaat heel moeilijk, maar hij helpt een beetje mee. En ik heb nog steeds een soort oerkracht.

Het vuur maakt een tunnel voor ons. Ik moet mijn adem inhouden omdat de lucht te heet is.

Maar daar is de straat al, daar staan de mensen. Ik gooi me naar voren en iemand zet de tuinslang op ons. Op mij en die enge geblakerde mummie op de grond. Nat. Zwart.

'Mamaaaaaa...'

'Sssst,' zegt iemand, 'ssst, alles is goed.'

En iemand anders roept: 'Waar blijft die ambulance, verdomme?'

Verdomme?

Ik knijp mijn ogen stijf dicht en denk mezelf weg. Ik wil alleen nog maar in mijn bed liggen met de dekens over mijn hoofd.

Niet huilen, dat doet pijn. Aan fijne dingen denken, ik moet aan fijne dingen denken.

Trampolines op het strand. Samen springen met Annabel en Sandra, hoger, steeds hoger.

Mama die met de schildpadden praat. Ze kijkt zo lief en blij.

Papa! Hij kamt mijn haren, langzaam, zachtjes alsof het gouddraad is. Mmm. Hier wil ik blijven met mijn gedachten.

En al die tijd weet ik dat ik ben ontkomen, weer ben ontkomen, maar het voelt niet zo.

Ergens is lawaai en daar is alles naar en lelijk. Maar bij mij is papa en daar is een hol, stil en zacht. En dan is alles goed, toch?

'Mama...'

'Ik ben hier, Joni. Wij zijn hier.'

En dan ben ik toch weer in het zwarte gat waar niks en niemand is. Want alles begint te draaien en ik val en val. Het allerergste.

Ook mama is daar niet. Papa niet. Mijn vriendinnen: niet.

Is dit soms dood? Ben ik dood?

Terwijl ik dat denk word ik verschrikkelijk bang. Mijn handen en voeten breken af, lijkt het. Want ik kan niks voelen, er is geen grond meer, en dat is zoooo eng.

Verband!

'Mama?'

'Ssst, niet praten, Joni.'

'Maar mijn ogen... Ik krijg ze niet open.' Paniek schiet door me heen.

'Dat is alleen maar de verdoving, dat gaat vanzelf weer over.'

Verdoving?

Denk na, Joni, zeg ik tegen mezelf. Concentreer je.

Ik lig, dat is duidelijk. Niet op de grond, maar in iets zachts, het zal wel een bed zijn. Een ziekenhuis, nee toch? Ik beweeg mijn tenen, warme voeten. Mijn handen... nee, daar is iets mee aan de hand. Wanten? Nee, onzin. Verband!

'Ben ik... ziek?'

Mama's stem, heel dicht bij mijn gezicht: 'Je was flauwgevallen van de rook. En je handen zijn verbrand, maar niet heel erg. Het komt allemaal goed, hoor je dat, Joni? Je hebt enorm veel geluk gehad.'

Ik zak opgelucht weer weg in wat je slaap zou kunnen noemen. Maar het is niet zwart. Ook niet wit, trouwens. Het is leeg. Leeg en rustig.

Als ik mijn ogen eindelijk opendoe, zitten ze er allebei. Papa leest de krant, mama haakt een sjaaltje. Dat ziet er gezellig uit. Ik kijk er een tijdje naar. Het is wit in de kamer. Wit en warm.

'Ik heb dorst,' zeg ik dan.

Als ik met bed en al omver was gekletterd, waren ze vast niet méér geschrokken dan nu.

Ze rennen allebei naar me toe, grijpen naar een glas water, knoeien over me heen.

Ik begin te lachen. Maar dan zie ik mijn handen met het verband eromheen. En ik herinner me alles. De brand, de verdoving in mijn hoofd, Jacco!

'Waar is Jacco?' Ik kijk om me heen, maar ik ben alleen op die kamer.

'In een ander ziekenhuis,' zegt papa.

'Waarom?'

'Hij was er wat erger aan toe dan jij. Hij is naar een ziekenhuis dat gespecialiseerd is in brandwonden.'

Ik huiver. 'Maar hoe is het met hem?'

'Hij komt erbovenop, maak je geen zorgen. Het zal wat langer duren, maar het komt goed.'

Ik ben er niet helemaal gerust op. Meent papa dat wel, komt het echt goed? Er klopt iets niet, het is niet papa zelf, maar zijn doktersstem die ik hoor. Maar ik ben te moe om er langer over te praten. Eigenlijk heb ik helemaal geen zin om te praten. Want met de gedachte aan de brand is alles weer bovengekomen: dat ik het heb gedaan, ik! Joni de brandstichter. Daar komt vast een vreselijk Gesprek over, met dingen opbiechten. Echt erge dingen. Dat wil ik niet. Ik doe gauw mijn ogen weer dicht.

Papa en mama rommelen om me heen, praten zachtjes.

'Wil je iets eten?' vraagt mama aan mij.

Ik schud mijn hoofd, ik ben misselijk.

'Vind je het goed als je vriendinnen vanmiddag op het bezoekuur komen?' vraagt papa.

Ik knik. Papa staat meteen op om ze te bellen.

Hij overlegt wat met mama, trekt zijn jas aan.

Als hij weg is, bedenk ik me iets.

'En het bos? Het bomen-voor-bakstenen-bos?' vraag ik met mijn ogen dicht.

'Dat is helemaal afgebrand,' zegt mama zacht.

En ik kan er niks aan doen, maar dan moet ik diep van binnen toch glimlachen.

Het volgende moment zijn Annabel en Sandra er, zo gaat dat als je steeds slaapt. En Ouave – die had ik toch niet uitgenodigd?

Annabel staat vooraan en ze lacht. 'Joni,' zegt ze vol bewondering, 'je bent een held!' Ze heeft een cadeautje in haar handen, wat zou erin zitten? Kennelijk zijn we weer beste vriendinnen. Ook Sandra staat stralend naar me te kijken. Het voelt alsof ik terug ben van een lange vakantie.

'Op school zijn we een heldenlied aan het maken, voor als je terugkomt,' zegt Sandra.

'Daar heb je Joni, Joni, zij is geweldig,' begint Ouave te zingen, op de wijs van het dolfijnenlied van Flipper, 'zij is een held, een echte held...'

'Ssst,' zegt Annabel, 'dat is nog een verrassing.'

'Een lied voor mij?' vraag ik voorzichtig.

'Ja, je bent toch een held?' zegt Annabel. 'Zelfs mijn moeder zegt het.'

Haar moeder? De ijskoningin?! Als ik niet al in bed lag, zou ik omvallen van verbazing.

'En mijn vader,' zegt Sandra. 'Ik zou dat echt niet durven hoor: zomaar een vuur in lopen, om Jacco te redden.'

'Jacco!' zegt Annabel veelbetekenend.

Het dringt langzaam tot me door. Een held, ik? Ha!

'Doen je handen pijn?' vraagt Ouave verlegen.

Ik lach naar haar. 'Ja, nog wel. Maar het verband mag er bijna af.'

'En je wikkelde Jacco dus zomaar in een lap?' griezelt Annabel. 'Hoe wist je dat je dat moest doen?'

Ik haal mijn schouders op. Ik wil er liever niet over praten. Als ik aan de brand denk, krijg ik een smerige rooksmaak in mijn mond.

Sandra kijkt van mij naar Annabel. 'Jacco wordt wel beter, toch?' zegt ze.

Annabel kijkt ernstig. 'De meester zegt van wel. Maar hij houdt altijd littekens.'

Het is even stil in de kamer. Ik ben bang dat ik heel hard ga huilen. Er zit een grote prop in mijn keel, het doet vreselijk pijn. Jacco met littekens. Misschien wel op dat vrolijke gezicht. Dat is zo naar, zo vreselijk naar. En het ergste is nog wel: het komt door mij. Ik wilde dat vuur, ik heb het aan Jacco gevraagd, ik heb zelf de lucifer aangestoken. Rotkind, zegt het in mijn hoofd, rotkind, ROTKIND!!!

Uren zijn voorbij gegaan. Het bezoekuur is afgelopen en ik ben ontzettend alleen. Ik heb het cadeautje van Annabel (een schattig knuffelbeertje) door de kamer gesmeten. En ik heb mezelf helemaal weggehuild. Om Jacco die misschien nooit meer zijn mooie gladde gezicht heeft met de zeven schoonheden. Om mezelf dat ik die eerste lucifer heb aangestoken.

Mijn kussen is nat, mijn pyjama, het verband op mijn handen ook. En nu ben ik leeg, moe en mijn keel doet pijn.

Ineens weet ik in welk boek ik ben beland: in *Rossy, dat krantenkind*. Papa heeft me dat voorgelezen, niet eens zo heel lang geleden. Rossy is heel arm en moet voor haar kleine broertjes en zusjes zorgen. Maar dan brandt hun huisje af. Rossy rent naar binnen, want ze weet dat haar kleine broertje daar nog is. Ze redt hem en dan wordt ze een held. Heb ik Rossy soms na willen spelen?

Met mijn verbandhanden blader ik door de tekeningen die geschrokken kinderen voor mij hebben gemaakt. Held, held, held.

Hoe kan ik een held zijn, als ik het vuur eerst zelf heb aangestoken? Eerder een heks.

Heks of held?

Ik laat me achterover in mijn bed vallen. De tekeningen wapperen op de grond.

Misschien is dat wel vaker zo met helden. Lees je in de krant: KIND REDT POES UIT SLOOT. En dan heeft datzelfde kind eerst die poes erin gesmeten. Of je krijgt, zoals de vader van Sandra, een medaille omdat je een schurk in zijn kraag hebt gegrepen, maar thuis sla je je kind om het minste geringste op haar blote billen, voor elk jaar een klap plus vijf om het af te leren. Ben je dan nog steeds een held?

Ik heb nog steeds hoofdpijn als papa en mama binnenkomen.

Aan hoe ze twee stoelen naast mijn bed schuiven, begrijp ik: nu komt het Gesprek. Ook dat nog. En meteen daarop denk ik: ik kan makkelijk zeggen dat Jacco het heeft gedaan. Hij is hier toch niet. En het was zijn benzine, dus is het ook zijn brand.

'De brandweer is een onderzoek aan het doen,' zegt papa.

Zie je wel, daar heb je het al. Ze zullen die benzine van Jacco wel vinden.

Scherp als een foto zie ik voor me hoe Jacco en ik het winkelwagentje liepen te duwen. Jacco's haar viel de hele tijd in zijn ogen en dan blies hij het weg. Hij lachte naar me.

'Jacco...' begin ik.

Ik wil die naam niet zeggen. Dat gezicht met die lach en die blauwe ogen... Wat zal hij een pijn hebben, denk ik en ik voel het bijna zelf.

'Met Jacco gaat het nog steeds goed,' zegt papa. 'We hebben met zijn ouders gesproken. Hij moet nog wel tot aan de vakantie in het ziekenhuis blijven. En daarna gaat hij naar een andere school.'

'Naar een andere school? Waarom?' Misschien bestaan er wel speciale scholen voor verbrande kinderen.

'Dat heeft hier niks mee te maken, Jacco ging toch al naar een andere school.'

Pfff, denk ik. Het wordt me wel makkelijk gemaakt zo. Als Jacco niet terugkomt, is er niemand om te controleren of ik de waarheid wel heb verteld.

Papa en mama kijken me allebei doordringend aan. Nu dus, nu.

En dan gebeurt er iets raars, iets wat ik zelf ook niet snap.
Ik kan het niet.
Ik kan niet Jacco de schuld geven van de brand. Niet na wat we samen hebben meegemaakt. Dat ene moment in de garage waarvan ik nu al weet dat ik het nooit van mijn leven zal vergeten: zijn arm om me heen toen ik het allerbangst was. En daarna het vuurmannetje, het gegil, de zwarte mummie... Allemaal mijn schuld.

Dan maar geen held, denk ik. Heel snel is die gedachte – en het kan me eigenlijk niet eens meer schelen. Held zijn is ook maar saai.
'Het was mijn idee,' zeg ik, 'die brand.'
En ik begin te vertellen. Achter elkaar en zonder mijn ouders aan te kijken. Van de hut van Jacco. En dat ik dat bos al die tijd al stom vond. Dat Jacco me snapte, als enige. Want dat zij de hele tijd met de woongroep bezig waren. En Annabel en Sandra met de weekdieren. En dat ik toen heb gezegd: 'Laat mij maar.' En dat ik de eerste lucifer heb gegooid.
Het vertellen was al erg, maar de stilte die valt als ik uitgesproken ben is nog erger. Laat het voorbij zijn, smeek ik in mijn hoofd, laat de tijd nu een reuzensprong maken en dat ik lekker lig te slapen omdat alles achter de rug is.
Dan zegt mijn vader langzaam: 'Ik vind het goed dat je dit zegt, Joni.'
Ik kijk op. Hij ziet er helemaal niet boos uit! 'Vind je ook niet?' zegt hij tegen mama.
'Ja,' zegt mama, met die zachte stem waar ik zo'n hekel aan heb.
'Dat van die woongroep...' Papa kijkt langs me heen. 'Dat is inderdaad een beetje... uit de hand gelopen. Ik had het je eerder willen vertellen, maar... Nou ja, dat is dus niet gelukt.'
Hij kijkt hulpzoekend naar mama. Die glimlacht.
En dan zegt ze iets raars: 'We moeten meer dingen samen gaan doen, denk ik. Met zijn drieën.'
Papa begint druk te knikken.

‘Misschien naar de grote speeltuin?’ zegt mama weifelend. ‘Of naar opa en oma.’

Papa knikt enthousiast. ‘Naar Artis wilde je toch?’

‘Het poppenhuis-museum schijnt ook heel leuk te zijn,’ zegt mama, ‘en daarna poffertjes eten.’

‘Of een keer in een echt chic restaurant. Wat dacht je daarvan?’

Ik kijk verbijsterd van de één naar de ander alsof ik een tenniswedstrijd volg. Ik snap er echt he-le-maal niks van. Heb ik net iets vreselijks verteld, het rotkind voor hun ogen ontmaskerd, beginnen ze over poffertjes?!

Maar het kan me niet schelen, want ik ben zo moe ineens. Terwijl mijn ouders steeds enthousiaster worden (‘Picknicken in de beeldentuin!’ ‘Lekker even een weekje naar een huisje op Texel!’ ‘Ja dat doen we, gewoon onder schooltijd’) vallen mijn ogen dicht. Ik kan ze gewoon niet meer openhouden.

Na een tijdje hoor ik in de verte dat papa en mama ophouden met praten. Geschuifel van stoelen, geritsel van de tekeningen die mama van de vloer opraapt.

Ik geloof dat papa wel ziet dat ik nog niet echt slaap. Hij buigt zich naar mijn oor en fluistert: ‘Heel lief van je hoor, dat je Jacco hebt beschermd.’

Beschermd? Beschermd?! Ik heb hem laten verbranden!

Maar dan begrijp ik het: papa denkt dat Jacco de brand heeft aangestoken, misschien wel omdat het zijn benzine was. En dat ik de schuld op me neem, om Jacco te beschermen.

Ingewikkeld! En wat een onzin ook, dat zou ik nooit doen. Ik ben niet gek.

Maar ik vind het allang best. Leuk, denk ik terwijl ik in slaap val, naar Texel. Kijken wat je daar allemaal kunt beleven. Volgens mij heb je daar goede verdwaalbossen. En schapen – ik wil wel eens een schaap scheren, weten hoe dat voelt. En het water op natuurlijk, de zee van Texel. Die valt soms droog en dan kan je hele stukken wandelen waar eerst water was, dat heb ik ergens gelezen. Wadlopen heet dat. Je moet met een gids mee, maar dat is stom. Ik wil wel een keer stiekem gaan wadlopen en dat dan de zee ineens opkomt.

– Wat ik me afvraag –

Mama heeft een tinnen fruitschaal. Die maakt ze altijd heel mooi als een schilderij, met glimmende appeltjes en peren en mandarijnen erop. Zo zet ze het midden op tafel. Ik kijk altijd graag naar die fruitschaal. Een dag, of een paar dagen.

Maar het gebeurt altijd ineens. Er rimpelt een appel, zijn velletje is niet meer lekker glanzend. Of je tilt een mandarijn op en de onderkant is zacht en groen en blijft een beetje vastplakken. Altijd begint er wel iets te rotten en dan is die hele fruitschaal verpest, dan kan ik er bijna niet meer naar kijken.

Zo voelt het nu bij mij.

Er zit een rot stukje aan de onderkant, dat je niet ziet. Maar het is er wel. Het is groter geworden door wat er met Jacco is gebeurd, maar eigenlijk zat het er altijd al. Rot-kind, daar heb je het al. Je krijgt zo'n rotte plek nooit meer weg, je kunt alleen maar hopen dat het niet teveel opvalt, dat de goede kant boven ligt, zeg maar.

Maar wat ik me nu afvraag: zou iedereen dit hebben? Of ben ik de enige?

Bedankt!

Manja Heerze en topredacteur Anne-Marie Vervelde van Leopold die dit boek uit durven geven. Diet Verschoor en Mieke Tillema (mijn oude juf) voor het kritisch meelezen. Bram Bakker voor zijn slimme woorden over het geweten. Remco Volkers en, vooral, Mylou Frencken. Dat dit boek er is, is ook jullie schuld!

Anna van Praag, oktober 2010